Oper

D0298192

1106 AX Amsterdam
Tel.: 020 – 696.57.23
Fax : 020 – 696. 80.51

afgeschreven

Het beste van de
Wijnalmanak

Het beste van de
Wijnalmanak

SPECTRUM

Spectrum maakt deel uit van Uitgeverij Unieboek | Het Spectrum bv
Postbus 97, 3990 DB Houten

Ontwerp, vormgeving en beeldredactie: Teo van Gerwen (RC Design)
Redactie: Ronald de Groot, Sjoerd de Groot, René van Heusden,
Anda Schippers, Sander van der Waal
Beeld: Ronald de Groot, Sjoerd de Groot, René van Heusden, Shutterstock
Projectcoördinatie: Yvonne van Gestel

ISBN 978 90 00 31361 7
NUR 447

© 2013 Ronald de Groot, Sjoerd de Groot
© 2013 Nederlandstalige uitgave: Uitgeverij Unieboek | Het Spectrum bv, Houten–Antwerpen

www.unieboekspectrum.nl
www.facebook.com/Wijnalmanak
www.twitter.com/UitgeverijUBHS

Blijf op de hoogte van het laatste nieuws over onze producten en auteurs! Schrijf je in voor een
van onze nieuwsbrieven op: www.unieboekspectrum.nl/nieuwsbrief.

Inhoud

Voorwoord

Soms ben je als wijnschrijver zó bezig met de dagelijkse gang van zaken dat je bijna vergeet ook eens om je heen te kijken. Dat is wat de samenstellers van de *Wijnalmanak* de laatste jaren dreigde te overkomen. De *Wijnalmanak* is al heel lang een bijzondere wijngids; een standaardwerk met een grote aanhang. Maar de wijnwereld verandert en de boekenwereld ook: winkels spelen een andere rol bij de aankoop van wijngidsen dan vroeger. En omdat we vinden dat de *Wijnalmanak* een afspiegeling van de actuele stand van zaken in de wijnwereld moet zijn, verandert ook de vertrouwde koopgids. Met extra digitale uitgaven bijvoorbeeld, die door het jaar heen verschijnen en aansluiten bij de trends van dat moment. Zo heb je steeds informatie over wijnen die op dát moment in de winkel te krijgen zijn.

We begeven ons dus vol overgave in de (digitale) toekomst. Maar we willen ook nog even stilstaan bij wat achter ons ligt: een mooie verzameling gidsen vol wijnen die jaar in, jaar uit geweldig presteren. Die wijnen, van een constante en bewezen kwaliteit, willen we dit jaar extra belichten. Je vindt in *Het beste van de Wijnalmanak* daarom niet het gebruikelijke aantal wijnen, maar een speciale selectie van 146 wijnen, voorzien van een uitgebreide proefnotitie met extra informatie over zaken als producent, druivenrassen en streek van herkomst. Een interessante mix van supermarktwijnen en wijnen van slijterijen en wijnspeciaalzaken. En dat is nog niet alles. Want ook in de landen waar deze toppers uit de *Wijnalmanak* vandaan komen, is de afgelopen jaren veel veranderd. Een goede reden om die wijnlanden ook eens de ruimte te geven. Zij vormen immers de context van de geselecteerde wijnen.

Daarmee ziet de *Wijnalmanak* er heel anders uit dan anders. Nog steeds een handige koopgids, maar daarnaast vooral een overzichtelijk wijnboek met het beste uit de *Wijnalmanak*. Met boeiende informatie over de huidige stand van zaken in vrijwel alle wijnlanden van de wereld – van Argentinië tot en met Zuid-Afrika – en hun wijngebieden. Een heel complete wijngids dus, om uitgebreid in rond te snuffelen. Een gids die lang meegaat ook,

want de geselecteerde wijnen zijn allemaal van het soort dat je elk jaar weer met een gerust hart van het schap kunt pakken.

Veel lees- en proefplezier gewenst!

Ronald de Groot

PS
Heb je nog tips? Laat het ons vooral weten via feedback@wijnalmanak.nl! Dan delen wij ze weer met de rest van de lezers.

Inleiding

In de geschiedenis van de *Wijnalmanak* is niet alleen de gids zelf anders geworden. Ook de wijnen en de landen waar ze vandaan komen, hebben de nodige veranderingen meegemaakt. Gevestigde namen als Frankrijk zijn een deel van hun macht verloren en moeten zichzelf opnieuw uitvinden. Landen die vroeger als wijnproducent het vak als het ware nog moesten leren, hebben inmiddels – soms door razendsnel om te schakelen – hun eigen plek gevonden.

Met die ontwikkelingen in het achterhoofd nemen we de lezer in deze *Wijnalmanak* mee door alle belangrijke wijnlanden. Per land geven we een korte schets van de geschiedenis en ontwikkeling als wijnland en een overzicht van de huidige positie in de wijnwereld. De voornaamste wijnsoorten, wijngebieden en druivenrassen komen voorbij, naast interessante feiten, prikkelende weetjes en relevante cijfers. Zo krijgen de geselecteerde wijnen, die per land worden gepresenteerd, een kader en een achtergrond.

Een van de opvallendste veranderingen van de afgelopen jaren, zeker in de jongere wijnlanden, is een grotere aandacht voor de herkomst van wijnen ofwel hun terroir. Dat is kort gezegd het samenspel van locatie van de wijngaard, klimaat, weer, bodemtype en druivenras. Producenten zoeken betere plaatsen om hun druiven aan te planten, of kiezen andere druivenrassen. Een Argentijnse bodega staat daarbij voor heel andere uitdagingen dan een Duits *Weingut*.

De veranderingen in de wijnproductie worden niet alleen gestuurd door de markt, maar ook door zaken als klimaatverandering, wijnwetgeving en nieuwe wijnmaaktechnieken. In de Europese wijnlanden, met hun soms eeuwenoude traditie, gaat dat meestal langzamer dan in de aan minder regels gebonden jongere wijnlanden. Landen als Chili, Australië en Nieuw-Zeeland bieden hun wijnboeren veel meer ruimte om te experimenteren. Maar ook Europa past zich aan. Portugal bijvoorbeeld heeft zichzelf op indrukwekkende wijze afgestoft en om-gebouwd tot producent van prachtige droge wijnen. En in de Franse Languedoc maakt een jonge generatie wijnboeren heel eigentijdse, soms bijna Nieuwe Wereldachtige wijnen.

We zijn liefhebbers, dus we leggen graag de nadruk op alles wat goed is. Maar we zijn ook kritisch, dus we gaan de mindere kanten van wijnlanden niet uit de weg. Alleen dan krijg je als lezer een reëel beeld van de stand van zaken in de wijnwereld van dit moment. En over het geheel genomen zijn we dik tevreden. Wijn is over de hele linie nog nooit zo goed geweest als nu.

De selectie

Het beste van de Wijnalmanak

De samenstellers van *Het beste van de Wijnalmanak* hadden het dit jaar lastig. Hoe ga je van ongeveer 1000 wijnen terug naar bijna 150 zonder de afvallers onrecht aan te doen? Die stonden immers niet voor niets in eerdere edities van de *Wijnalmanak*. Daarbij wilden we ook dat alle wijnen voor iedere lezer zo goed mogelijk verkrijgbaar zijn. Er is niets zo frustrerend als het krijgen van een leuke tip, om er vervolgens achter te komen dat die wijn alleen te koop is bij dat ene kleine zaakje drie plaatsen verderop. Gelukkig is de meeste wijn tegenwoordig via internet snel te vinden.

Wijnen die bovendrijven

Na het doornemen van een grote stapel wijnalmanakken (met de nadruk op de gidsen van de laatste tien jaar) was de conclusie dat een aantal namen steeds weer boven komt drijven. Dát zijn de wijnproducenten van wie we bij deze uitgave ook weer wijnen hebben geselecteerd. We kozen wijnen die kenmerkend zijn voor de verschillende landen en streken en dan niet alleen de bekende namen, maar ook wijnen van leuke kleine producenten die al jarenlang op een heel hoog niveau wijn maken.

Huiswerk

De wijnselectie in *Het beste van de Wijnalmanak* is tot slot zo gemaakt dat zij aansluit bij de hoofdstukken over de verschillende wijnlanden. Op die manier kun je op een smakelijke manier de theorie uit dit boek omzetten in praktijkervaring. Zie de wijntips dan ook gerust als een soort huiswerk...

Van Duijker naar digitaal

Geschiedenis van de Wijnalmanak

D e geschiedenis van de *Wijnalma-nak* begint in 1989. Wijnschrijver Hubrecht Duijker wilde de Nederlandse consument helpen een keuze te maken uit de beschikbare wijnen in de Nederlandse winkels. De maximale prijs was toen 10 gulden, ofwel € 4,54. Hubrecht proefde alles thuis. Daarna zette hij de flessen – waar maar een klein beetje uit was – op de stoep, zodat de verschillende buren er hun voordeel mee konden doen. Dat doet hij tegenwoordig trouwens nog steeds.

Oog voor trends

Duijkers selectie bestond uit louter rode en witte wijnen. In de *Wijnalmanak* van 1992 schrijft hij: 'Mijn keuze heeft zich beperkt tot droge tafelwijnen. Ik heb me dus niet gewaagd aan versterkte wijnen (als Sherry en Port) en ook naar mousserende wijnen zult u tevergeefs zoeken. Hetzelfde geldt voor halfzoete en geheel zoete wijnen, terwijl rosé evenmin bij de beoordeling werd betrokkken. Rosé wordt in dit land immers nauwelijks meer

gedronken. In een volgende editie kan droge rosé echter wel verschijnen, omdat de bescheiden opleving die ik vorig jaar signaleerde zich heel langzaam lijkt door te zetten.'

Die trend had Duijker goed opgemerkt. Nederland zou jarenlang in de ban raken van rosé, totdat deze van de troon werd gestoten door prosecco. In al die jaren dat hij de *Wijnalmanak* verzorgde, hield Hubrecht de markt goed in de gaten en maakte hij zijn selectie altijd met een scherp oog voor wat er speelde en welke trends, gebieden en landen in opkomst waren.

Van Hubrecht naar Harold

Jarenlang houdt de *Wijnalmanak* min of meer dezelfde, vertrouwde uitvoering. Met de komst van de euro in 2002 verandert alleen de titel in *De 500 beste wijnen onder 5 euro*. In 2006 besluit Duijker dat hij het over een paar jaar rustiger aan wil gaan doen en vraagt hij wijnschrijver Harold Hamersma om mee te proeven voor de *Wijnalmanak*. Het doel is om na een paar jaar het roer helemaal aan Harold over te geven.

In 2010 is het zover; Hamersma maakt nu de *Wijnalmanak* en drukt er zijn eigen stempel op. Zo verschijnt er dat jaar niet alleen een editie met wijnen onder de

5 euro, maar ook een editie met wijnen van 5 tot 10 euro. Voor die laatste editie roept Hamersma de hulp in van Ronald de Groot, die het proeven van de wijnen boven de 5 euro voor zijn rekening neemt. Die aanvulling met een duurdere categorie was nodig, want liefhebbers zijn in de loop der jaren meer uit gaan geven aan wijn. Ook is de gemiddelde prijs van het assortiment van supermarkt, slijterij en wijnhandel gestegen.

Het proefteam

In 2011 begint Harold zijn eigen gids, waarna Cuno van 't Hoff het stokje van hem overneemt, in samenwerking met een proefteam onder aanvoering van Ronald de Groot en Sjoerd de Groot. Cuno wordt op zijn beurt opgevolgd door een proefteam dat bestaat uit Ronald de Groot, Sjoerd de Groot, Ellen Dekkers en Lars Daniëls, aangevuld met auteur René van Heusden en eindredacteur Sander van der Waal.

Je eigen Wijnalmanak

En dan zijn we aanbeland bij *Het beste van de Wijnalmanak*. Dit boek bestaat uit een combinatie van de beste elementen van de oude almanakken en nieuwe digitale mogelijkheden. *Het beste van de Wijnalmanak* is nog steeds de vertrouwde en betrouwbare koopgids, met 146 wijnen die smakelijk, goed én betaalbaar zijn, van grote en kleine producenten uit de hele wereld die hun vak tot in de puntjes beheersen en al jarenlang kwaliteit leveren voor een aantrekkelijke prijs. Het boek is echter ook een naslagwerk voor de wijnliefhebber, vol relevante informatie over alle belangrijke wijnlanden van de wereld. De papieren gids wordt door het jaar heen aangevuld met actuele digitale magazines, waarin de laatste kooptips zijn opgenomen, passend bij het seizoen. Uit de *Wijnalmanak* anno nu kan iedereen informatie halen op de manier die hij of zij het prettigst vindt. De een wil alles weten en leest de papieren gids van voor naar achter, de ander *swipet* liever snel door de digitale magazines en de volgende kijkt vooral naar de kooptips in elke uitgave. Helemaal van deze tijd dus: voor iedereen een eigen *Wijnalmanak*.

Argentinië kent al wijnbouw sinds het midden van de zestiende eeuw. Spanjaarden plantten toen de eerste wijngaarden in het gebied La Rioja. Vooral na de toestroom van grote groepen Italiaanse immigranten in de negentiende eeuw nam de productie een hoge vlucht, zij het volledig gericht op volume. Hoe de wijn smaakte, deed er toen nog niet zoveel toe. Hoe anders is dat nu!

Argentinië

Het grootste wijnland van Zuid-Amerika is Argentinië. En dus niet Chili. Dat de Chilenen toch zo'n voorsprong op hun buren hebben kunnen nemen als exporteurs, is een kwestie van mentaliteit. Of moeten we zeggen: is geweest? Want ook Argentinië heeft zich inmiddels gemeld als land dat goede kwaliteit kan leveren voor een concurrerende prijs. Visitekaartje: Malbec.

Het verhaal van de twee Zuid-Amerikaanse wijngrootheden lijkt op de fabel van de krekel en de mier. Met Chili als de nijvere mier en Argentinië als de gemakzuchtige krekel. Een andere parallel is die met Spanje en Portugal, twee buurlanden die bij wijze van spreken met de rug naar elkaar toe liggen. Echt hartelijk zijn de onderlinge verhoudingen tussen Argentinië en Chili namelijk niet. Maar Argentijnse wijnproducenten zijn wel zo verstandig geweest zich te spiegelen aan hun collega's aan de andere kant van de Andes.

Argentinië heeft al wijnbouw sinds halverwege de zestiende eeuw. Spanjaarden plantten toen de eerste wijngaarden in het gebied La Rioja. Maar de productie kwam pas echt goed op gang na de toestroom van grote groepen Italiaanse immigranten in de negentiende eeuw. Zij waren bedreven in de wijnbouw, maar de productie was nog volledig gericht op volume. Hoe de wijn smaakte, deed er niet zoveel toe. Afzet was ook geen probleem, want de gemiddelde consumptie lag op 90 liter per Argentijn per jaar. Een groot deel van de wijn was wit, gemaakt van de

Malbec

Wijngaard aan de voet van de Andes

druif criolla, die te herkennen is aan zijn roze schil.

Wijnindustrie op z'n kop

In de negentiende eeuw arriveerden er ook blauwe druivenrassen vanuit Europa. Een daarvan was malbec, uit het Franse zuidwesten. Het zou alleen nog een hele tijd duren voordat die op juiste waarde zou worden geschat.

Toen de Argentijnen in de loop van de twintigste eeuw ineens een voorkeur voor zoetige witte wijnen kregen – wat vreemd is in een land van vleeseters – en tegelijk veel minder gingen drinken, leidde dat tot het rooien van zo'n 100.000 hectare wijngaarden, zowat een derde van het totaal. Ook talloze stokken malbec moesten eraan geloven. Minder wijn produceren was echter niet voldoende: de wijn die

Oude wijnpers

nog gemaakt werd, moest ook beter. Pas toen producenten begonnen in te zien dat ze moesten gaan exporteren om te kunnen overleven en dat daarbij kwalitatief hoogstaand rood grotere kansen zou bieden dan twijfelachtig wit, werd malbec eindelijk erkend als potentieel grote troef. Eerst moest er wel iets grondig veranderen. Sinds de jaren tachtig en nadien steeds voortvarender is de hele wijnin-

dustrie op zijn kop gezet. Naar het voorbeeld van buurland Chili is vanaf de jaren negentig zwaar geïnvesteerd in nieuwe wijngaarden met kansrijke druivenrassen en in nieuwe productiefaciliteiten. Immers: geen kwaliteit zonder techniek. Een goede wijngaard alleen is niet genoeg.

Het moderne Argentinië is als wijnland dus een laatkomer op het toneel. De regering besloot er overigens in 2010 om de eigen wijn uit te roepen tot 'nationale drank'.

Wijnhoofdstad Mendoza

Het onbetwiste centrum van de Argentijnse wijnbouw is het gebied Mendoza, in het westen van het land, aan de voet van de Andes. Dit gebied neemt in zijn eentje ongeveer 60% van de totale productie voor zijn rekening en een nog hoger percentage van de export. Het scheelt niet veel of Argentijnse wijn is synoniem met wijn uit Mendoza.

De besneeuwde toppen van het massieve

Plaza Independencia in Mendoza

Experimenteren met viognier

hooggebergte leveren een imponerend decor op voor de wijngaarden, maar in de stad Mendoza is men bedacht op aardbevingen, die met de nabijheid van dat hooggebergte samenhangen. Los daarvan is Mendoza een leuke stad, waar je nooit lang hoeft te zoeken naar een terras, restaurant of wijnbar. En waar je ook komt, overal en altijd staan er flessen wijn op tafel. Speciaal met het oog op een eventuele nieuwe aardbeving zijn op diverse plaatsen in de stad parken aangelegd als vluchtplaatsen. Het voornaamste park, letterlijk in het midden van Mendoza, vormt het toneel van het jaarlijkse oogstfeest. Een week lang, want feesten kunnen Argentijnen als de beste.

Wijngaard met hagelnetten

Hoog en droog

Over nu naar de wijngaarden in de omgeving van Mendoza. Van aardbevingen hebben ze geen last, wel van een ander, frequent optredend natuurgevaar: hagel. Vandaar dat je er nogal eens beschermende hagelnetten over de wijnstokken kunt zien hangen. Die netten breken bovendien het zeer felle zonlicht. De wijngaarden van Mendoza liggen naar Europese maatstaven hoog, tot meer dan 1000 meter boven zeeniveau, en hebben

een ongekend intense zoninstraling. De temperaturen vertonen grote verschillen tussen dag en nacht, wat eveneens een gunstige factor is om optimaal rijpe druiven te plukken en wijnen met veel smaak te produceren. Een ander positief gegeven is de droogte, afgezien dan van die verraderlijke hagelbuien, die veroorzaakt worden door koele lucht uit het hooggebergte. Per jaar valt er niet meer dan 200 millimeter neerslag.

Water is er genoeg

Een dusdanige droogte betekent automatisch noodzaak tot irrigatie. Dat is in

Vatenkelder Catena

Traditioneel irrigatiesysteem

Argentinië geen enkel probleem, dankzij de genereuze aanvoer van smeltwater uit de Andes. In het verleden werd dat middel wel eens misbruikt om torenhoge druivenopbrengsten te krijgen, maar die tijd is voorbij. Met irrigeren is het als met drinken: het is alleen acceptabel wanneer het met mate gebeurt... In nieuwe wijngaarden zijn bijna vanzelfsprekend geavanceerde systemen te vinden, waarmee de producent tot op de druppel nauwkeurig de gewenste hoeveelheid water per druivenstok kan bepalen, maar je komt ook nog steeds het traditionele systeem tegen, waarbij men het water uit een irrigatiekanaal zo over de bodem van de wijngaard laat stromen.

Of het iets met deze manier van irrigeren te maken heeft gehad of niet, Argentinië is gevrijwaard gebleven van de druifluis phylloxera, die de wortels van druivenplanten aanvreet en in Europa enorme verwoestingen heeft aangericht in de tweede helft van de negentiende eeuw. In Europa gebruikt men daarom overal onderstokken (de wortels van resistente

Stadje Iruya in de provincie Salta in het noordwesten van Argentinië

druivenrassen waarop niet-resistente rassen geënt worden). Dat is in Argentinië niet nodig; stokken kunnen hier direct in de bodem geplant worden.

Noord en zuid

Mendoza mag dan wel met afstand het belangrijkste wijngebied van Argentinië zijn, het is beslist niet het enige. Onmiddellijk ten noorden ervan ligt San Juan, de nummer twee. Nog wat verder noordelijk kom je terecht in La Rioja, het gebied waar het ooit allemaal begon. De Rio-

janen in Spanje zijn niet zo ingenomen met deze naamgenoot, ook al is het qua omvang maar een kleintje. Ze hebben recentelijk zelfs geprobeerd om La Rioja als herkomstbenaming te laten verbieden, maar zonder succes. De Argentijnse Riojanen konden immers wijzen op een historische traditie die er zijn mag. Nog weer wat noordelijker is Salta te vinden. Het is recordhouder wat betreft hoogte, want de wijngaarden liggen er zelfs nog op 1500 meter. En tot slot: niet lang geleden heeft wijnbouw ook zijn intrede gedaan in het

Reclamebord in de stad Mendoza

Cru's

Ook in Argentinië wint terroir aan belang. Kort door de bocht betekent dit dat een wijn een duidelijke herkomst laat proeven. Het gebied dat in dat opzicht het verst gevorderd is, is Mendoza. Hoog gelegen zones als Luján de Cuyo, Tupungato of Valle de Uco hebben daar een status die min of meer vergelijkbaar is met die van prestigieuze appellations binnen Bordeaux.

zuidelijkere deel van Argentinië. Het gaat daarbij om Río Negro, La Pampa en Neuquén. De resultaten in deze nog jonge gebieden zijn veelbelovend.

Avontuurlijke druiven

In het Argentinië van de 21e eeuw vind je (behalve malbec) de voorspelbare, internationaal populaire druivenrassen zoals chardonnay, sauvignon blanc en viognier voor witte wijn, en cabernet sauvignon, merlot, syrah en pinot noir voor rode wijn. Wie toch liever wat avontuurlijkers in het glas heeft, komt aan zijn trekken met nog twee andere typisch Argentijnse

Bodega Norton

specialiteiten. De ene is de witte druif torrontés, de andere de blauwe druif bonarda.

Van torrontés is lange tijd gedacht dat de wortels ervan in het Spaanse Galicië zouden liggen. Maar zoals zo vaak heeft DNA-onderzoek die veronderstelling onderuitgehaald. Torrontés blijkt een kruising te zijn van criolla en muscat. Met name de riojanavariant – zo genoemd naar La Rioja – heeft zich ontpopt als een druif met een opvallend aroma, dat je ook overduidelijk in de wijn kunt ruiken. Het doet denken aan dat van muskaatdruiven (wat logisch is) en ook wel aan dat van ge-

würztraminer. De wijn smaakt overigens vrij droog.

De blauwe bonarda stamt uit Noord-Italië en wordt daar nog altijd aangeplant. Zijn populariteit en verbreiding in Argentinië zijn alleen veel groter; ooit stond er zelfs meer van aangeplant dan van malbec. De wijn ervan is in de regel wat minder robuust dan Malbec.

De sterke Italiaanse invloed op de Argentijnse wijnbouw is ook te merken aan druivenrassen als barbera, dolcetto, nebbiolo en sangiovese. Een Spaans accent komt dan weer van de tempranillo.

Plukbakjes

World Malbec Day

Zoals gezegd, de nationale troeteldruif is malbec. Daar besluiten we dus mee. Wie zou er eigenlijk ooit op het slimme idee gekomen zijn om malbec mee te nemen naar Argentinië? Misschien was het wel iemand die op hetzelfde schip de oceaan overstak als degene die onderweg was naar Uruguay met een stekje van de blauwe tannat in zijn bagage. Ook zo'n druif uit dat Franse zuidwesten. Daar ligt de bakermat van malbec: Cahors, dat zich tegenwoordig zelfs met typisch Frans gevoel voor chauvinisme graag 'wereldhoofdstad' van de malbec noemt.

Over Frankrijk gesproken, diezelfde malbec speelde ooit ook een belangrijke rol in Bordeaux. Die tijd is voorbij, maar de druif wordt nog altijd genoemd in het rijtje van vijf waar de klassieke Bordeauxblend van wordt gemaakt (zie het hoofdstuk *Frankrijk*). Het is voor wijnliefhebbers heel interessant om vandaag de dag de Franse en de Argentijnse versies van Malbec eens naast elkaar te proeven. Je merkt dan dat ze zich tot elkaar

Druivenoogst in San Juan

Professionele wijnopleidingen

verhouden als Franse syrah en Australische shiraz: genetisch gezien gaat het om dezelfde druivenrassen, maar onder invloed van hun omgeving blijken ze toch totaal verschillende wijnen op te leveren. Wil de Franse uitvoering – hoewel stukken beter dan vroeger – nog wel eens wat stug overkomen en tekortschieten in fruit en body, de Argentijnse levert een mondvol wijn op, krachtig, vlezig en intens. Met beet, maar zonder tannine van de onrijpe soort. Kortom, de gedroomde wijn bij een Argentijnse steak. Het kan dus verkeren in wijnland. De malbec die nog niet zo heel lang geleden enthousiast gerooid werd, is nu de nationale druif. Sterker nog, de Argentijnen vieren tegenwoordig zelfs een World Malbec Day.

Argentinië kort

- Aanplant: 220.000 ha
- Aantal producenten: 1600
- Aandeel blauwe druivenrassen:* 80%
- Aandeel witte druivenrassen:* 20%
- Belangrijkste blauwe druivenrassen:* malbec, bonarda, cabernet sauvignon, syrah, merlot, tempranillo
- Belangrijkste witte druivenrassen:* torrontés, chardonnay, chenin blanc, ugni blanc (ook bekend als trebbiano), sauvignon blanc
- Belangrijkste gebieden: het noorden (Catamarca, Salta, Cafayate); Cuyo (Mendoza, La Rioja, San Juan) en Patagonië (Neuquén, La Pampa, Río Negro)

* Uitsluitend edele rassen voor kwaliteitswijn. Criolla en aanverwanten, nog altijd ruim aangeplant, vallen hierbuiten.

Een goeie doordrinker die ook bij de maaltijd kan

Deze rosé komt van een van de grootste wijnproducenten van Argentinië. Waar sommige bedrijven groot zijn geworden door klein te blijven, daar is Finca Flichman groot geworden door groot te denken. Wat je als wijnliefhebber ook zoekt, zij maken het. Van indrukwekkende rode wijnen, lang gerijpt op eiken vaten, tot heerlijk ongecompliceerde wijnen voor elke dag. En dan ook nog eens van de meest uiteenlopende druivenrassen. Voor deze fijne rosé mixte de wijnmaker de eigen Argentijnse malbec met de internationale bekendheid syrah (of shiraz, zoals ze het op het etiket hebben staan). Dat blijkt een heel gelukkig huwelijk. Mooi donkerroze van kleur, je proeft wat aardbei en rode kersen. Het is een lekkere doordrinker, sappig en fris, maar met wat room in de finale, die ervoor zorgt dat je hem ook bij de maaltijd kunt schenken. Breed inzetbaar dus.

Aberdeen Angus • Rosé Malbec - Shiraz • Mendoza
malbec, shiraz

€ 5 tot € 6   DGS

Modern en soepel glas bomvol smakelijk tropisch fruit

Een van de grote pioniers van de moderne Argentijnse wijnbouw was Nicolás Catena. Hij deed zijn kennis op in Californië en paste deze op een uitstekende manier toe in zijn geboorteland. Sommige wijnen onder zijn eigen naam – Catena – zijn ongetwijfeld briljant, maar de beste prijs-kwaliteitverhouding vinden we al jaren onder het label Argento. Dat staat voor heerlijke, soepele wijnen, met wat hout gemaakt, maar ook altijd met aantrekkelijk fruit. Een toonbeeld van stabiliteit in een woelige wijnwereld. Dit is een prima Chardonnay, no-nonsense, bedoeld voor een breed publiek. Modern en soepel van stijl met de nadruk op smakelijk tropisch fruit. Hout kom je vooral in de geur tegen, minder in de smaak. Geel fruit als ananas, banaan en meloen, een citruszuurtje na. Ongecompliceerd lekker, een mooi mild-droog glas wit. Geen wonder dat deze wijn regelmatig in de *Wijnalmanak* terug te vinden was.

Argento • Chardonnay • Mendoza
🍇 chardonnay

€ 6 tot € 7   Gall & Gall

Hmm, een wulpse rode wijn met veel vlees op de botten

Portillo is, net als Paso, een van de merken van Bodegas Salentein. Dit Argentijnse wijnhuis, in handen van Mijndert Pon, is genoemd naar het gelijknamige landgoed in Nederland waar Pon Holdings ruim dertig jaar kantoor heeft gehouden. De wijnen van Portillo staan voor toegankelijke, probleemloos drinkbare wijnen van relatief jonge wijnstokken in een wijngaard die eind twintigste eeuw is aangelegd volgens de allermodernste inzichten. Malbec voelt zich er opperbest in thuis en beloont dat met een soepele en wulpse rode wijn. Pruimen, vijgen en chocola in de smaak; veel vlees op de botten, zoete confiture, wat tannine. Ook sap, fruitigheid en, heel belangrijk, goede zuren. De wijnen van Salentein lenen zich bij uitstek om bij gegrild vlees te schenken. Op het terrein van Landgoed de Salentein doet Portillo Bar Bodega precies dát.

Bodegas Salentein · Portillo Malbec · Mendoza
🍇 malbec

€ 9 tot € 10 Wijnkring

Jeugdig en toch beschaafd, deze lekkere Shiraz

De streek rond de stad Mendoza is verreweg het belangrijkste wijngebied van Argentinië. De wijngaarden liggen op grote hoogte, wat zorgt voor aromatische druiven. Dat is vooral gunstig voor de icoondruif van deze streek, malbec. Maar de afgelopen jaren is overal de vraag naar wijnen van syrah toegenomen. En syrah stelt andere eisen. Deze blauwe druif kan wel wat meer warmte aan, maar doet het alleen goed op arme bodems. San Juan, ten noorden van Mendoza, bezit de ideale omstandigheden voor het maken van een krachtig type Syrah. Zo krachtig, dat de wijnen vaak (op z'n Australisch) Shiraz worden genoemd, omdat ze in smaak op Australische Shiraz lijken. Bij Callia slaagt men erin om de wijnen de juiste dosis zuren en tannine mee te geven, zodat het geheel niet te heftig, zwaar en zoet wordt. Zo ook deze 'Grote Shiraz'. Kruidig en rokerig, jeugdig, met de nodige mineralen en beschaafde tannine. Goed fruit, pepertje. Lekkere rode wijn.

Callia • Magna Shiraz • San Juan
 shiraz

€ 9 tot € 10   Intercaves, Uw Topslijter

In de grip van tannine – maar wel fris en fruitig

Nicolás Catena, bijgestaan door zijn dochter Laura, is een van de grote locomotieven van de Argentijnse wijnbouw. Weinig wijnbedrijven doen zoveel aan onderzoek als het zijne. Dat zal vast iets te maken hebben met zijn eigen wetenschappelijke achtergrond; Catena doceerde onder meer in Berkeley. Zijn speciale aandacht gaat uit naar de veredeling van het druivenras malbec. Het onderzoek richt zich bijvoorbeeld op het gebruik van de juiste klonen en op de ideale hoogte voor de aanplant van malbec. Bij een hogere aanplant, tot zo'n 1500 meter, krijgen de druiven meer smaak, maar op een gegeven moment worden ze niet goed rijp meer. Een kwestie van het vinden van de juiste balans. En daar zijn de Catena's meesters in. Catena maakt deze goede rode Alamos van heerlijk rijpe malbec. Hij heeft zwart fruit, een vleugje paprika, flink wat grip van de tannine en mooie frisheid.

Catena • Alamos Malbec • Mendoza
malbec

€ 8 tot € 9   Gall & Gall

Sap, sap en nog eens sap in deze super-Syrah

Mendoza staat bekend om rode wijn en dan in het bijzonder Malbec. Maar het is niet louter Malbec wat in Mendoza de klok slaat. Een beetje variatie kan trouwens sowieso geen kwaad. Een relatieve nieuwkomer in Mendoza is syrah, een druif die heeft laten zien op tal van plaatsen goed te gedijen en die steeds meer op de gunst van geïnteresseerde wijndrinkers mag rekenen. In de warmte en de royale zon van Mendoza zou je denken dat Syrah zwaar en heel kruidig uitpakt. Toch hoeft dat niet zo te zijn. Dat geldt zeker voor een door puur fruit gedomineerde versie, zoals deze Syrah van Chakana. Rijpe pruimen, wat ontbijtkoek, ja zelfs pepernoten. Sap, sap en nog eens sap, plus tannine van de goede soort. Syrah in optima forma. Deze wijn gooit al jaren hoge ogen in de gidsen en terecht. Zo'n Syrah kan iedereen met 'n gerust hart van het schap plukken, ook de komende jaren: die bewering durft het proefteam wel aan.

Chakana • Syrah • Mendoza
🍇 syrah

€ 7 tot € 8   Les Généreux

Dit is een dijk van een Malbec

Wijndomeinen die al generaties lang in de familie zijn, dat is heel Europees. Heel anders is dat in Argentinië, waar veel nieuwe bedrijven zijn opgericht. Roberto Luka bijvoorbeeld startte in 1997 met Finca Sophenia (genoemd naar zijn dochters Sophia en Eugenia). Voordeel is dat je dan, met hulp van experts, precies kunt bepalen waar je je wijnstokken het best kunt aanplanten. Roberto koos voor 130 hectare op de hellingen van de Andes. Deze Malbec komt uit Tupungato, het allerhoogst gelegen deel van de Valle de Uco. De wijngaarden van Finca Sophenia liggen op ongeveer 1200 meter hoogte. De druiven rijpen daar twee weken later dan in het malbecbolwerk Luján de Cuyo. Dat merk je goed. Dit is een dijk van een Malbec, dat om te beginnen. Hij valt op door zijn frisse aroma van vers zwart fruit (in plaats van enigszins gestoofd) en door een vleugje paprika. Geweldige tanninestructuur, smaakintensiteit en lengte.

Finca Sophenia • Altosur Malbec • Mendoza-Tupungato
🍇 malbec

€ 8 tot € 9   Vinites

Dat beetje peper houdt het spannend

Voorheen, in oude edities van de *Wijnalmanak*, was dit gewoon 'de Cabernet Sauvignon' en meer niet. Met het op de markt brengen van allerlei andere cuvées moest de producent deze natuurlijk ook een echte naam geven, maar het karakter van de wijn is nooit veranderd. Het bleef een mooi en vooral ook heerlijk fruitig glas Cabernet Sauvignon, waarbij betrouwbaarheid vooropstaat. De wijngaarden liggen hoog, tussen 850 en 1100 meter boven zeeniveau. Dat impliceert koele nachten. Het grote voordeel daarvan voor een druif als cabernet is dat hij zijn frisse fruit behoudt. Nortons Cabernet laat dat ruiken en proeven met intens fruit, dat aan zwarte bessen doet denken. Een levendige wijn met de juiste rijpheid en een goede lengte. En dat beetje peper houdt het spannend.

Norton • Colección Varietales Cabernet Sauvignon • Mendoza
🍇 cabernet sauvignon

€ 5 tot € 6   Albert Heijn

Fruit, kruidigheid en vooruit, een warm straaltje zon

Wijnliefhebbers kunnen er een handje van hebben. 'Ken je dat kleine wijnboertje in dat onvindbare dorpje, diep in het Franse platteland? Díe maakt lekkere wijnen! Je moet het wel zelf daar kopen, want hij heeft er bijna niets van.' Toch is ook het tegenovergestelde knap: heel veel wijn maken die ook nog eens heel aantrekkelijk is. Dat is wat wijnmaker Fernando Piottante bij Pampas del Sur doet. De rode basiscuvée is wat aan de zwoele kant. Maar er zijn echte pareltjes bij, in de reeks Vineyard's Expressions bijvoorbeeld. Van minder voor de hand liggende druiven, zoals pinot noir. Pinot Noir maken in Argentinië, dat vraagt enige durf. En kundigheid. Je loopt er immers al snel het risico dat de wijn plomp uitvalt door te veel rijpheid. Pampas del Sur weet dat te vermijden. Pinot Noir met gemiddelde intensiteit, niet heel complex, maar wel met voldoende fruit, lichte kruidigheid en een beetje zon.

Pampas del Sur • Vineyard's Expressions Pinot Noir • Mendoza
🍇 pinot noir

€ 4 tot € 5   Bas van der Heijden, Digros, Dirk van den Broek

Een Merlot die we graag in de armen sluiten

Als een Merlot ons goed smaakt, zijn we niet terughoudend met onze waardering, ook al hebben we een wat moeizame relatie met wijnen van deze druif. Het probleem is dat hij veel lastiger te telen is dan menig producent denkt, met name in een warme omgeving. Bij hogere temperaturen staat de rijping van merlot stil, zodat de wijn ervan een wat onrijpe geur kan krijgen, met zelfs een vleugje groene paprika. Dus moet je er in Argentinië voor zorgen dat hij op koele, vaak wat hogere plekken staat aangeplant. Het maken van een lekker rijpe Merlot is met deze wijn goed gelukt. Dit is een Merlot die wij graag in de armen sluiten! Rijp, krachtig en vol van smaak. We proeven en ruiken pruimen, peper, drop, een aangenaam vleugje boerderij. Soepel zonder glad te zijn, dankzij perfecte tannine. Vlees en beet tegelijk.

Viñas de Barrancas • Merlot • Mendoza
🍇 merlot

€ 5 tot € 6   Hema

N a de grote drie uit Europa (Italië, Frankrijk en Spanje) is Australië 's werelds vierde exporteur van wijn. Anders dan de Europese collega's hebben de Australiërs er geen eeuwen over hoeven te doen om die positie te bereiken.

De toverformule van hun succes? Geen moeilijkdoenerij met geboden en verboden, maar gewoon wijnen maken waar consumenten behoefte aan hebben.

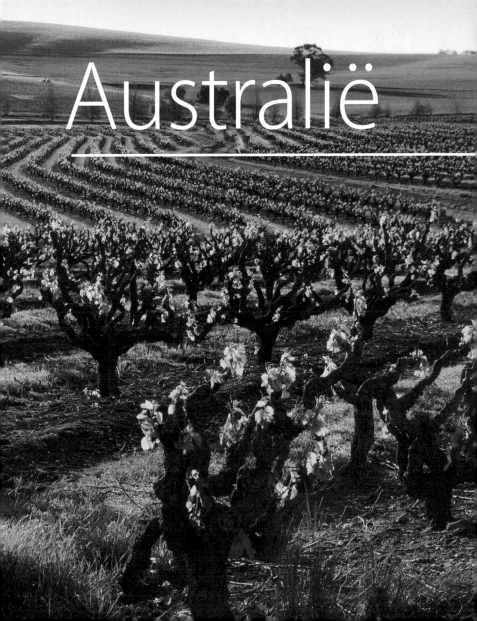

Australië

Australiërs staan bekend als relaxte mensen en dat kun je van veel van hun wijnen ook gerust zeggen. Feestje? Australische wijn! Toegankelijk, fruitig en smakelijk. Maar verwar relaxed niet met lui of gemakzuchtig. Australische wijnmakers zijn zeer goed opgeleid en hebben een scherp oog voor marketing. Bovendien behoren sommige van hun wijnen tot de bekendste en duurste van de wereld.

Australië heeft zichzelf in enorm tempo als wijnland bewezen. Waar veel Europese landen een wijngeschiedenis van eeuwen achter de rug hebben, is het bij onze tegenvoeters een kwestie van een paar decennia geweest. Vooral in Engelstalige landen als het Verenigd Koninkrijk en de Verenigde Staten heeft Australië dankbare afzetmarkten weten op te bouwen. Dat was vooral een kwestie van het aanbod afstemmen op de vraag, iets wat in bijvoorbeeld Frankrijk lange tijd ondenkbaar was.

Bij de witte wijnen is vooral de Chardonnay – die kan variëren van rijp en tropisch tot fris en citrusachtig – zeer populair, naast Riesling en Sauvignon Blanc. Bij rood zijn vooral de stevige Shiraz en de fruitige Cabernet Sauvignon de grote sterren.

Zuinig op water

Is generaliseren zelfs bij kleinere wijnlanden al gevaarlijk, bij een land als Australië is het dat helemaal. Het Australische continent is immers net zo groot als de

VS. Hoewel in alle delen van het land wel ergens wijn gemaakt wordt, komt het merendeel van de wijnen uit het zuidoosten. De provincie South Australia, waar ook het beroemde Barossa Valley ligt, neemt in zijn eentje bijna de helft van het totaal voor zijn rekening. Buitenposten zijn het verre westen bij Perth en het eiland Tasmanië (in Australië: Tasmania). Wijnbouw is daarmee een 'randverschijnsel', geconcentreerd in regio's die niet al te ver van de kust liggen. Het binnenland is simpelweg te warm en te droog, terwijl het noorden al tropische trekjes vertoont.

Droogte vormt regelmatig een uitdaging, aangezien irrigatiewater slechts beperkt voorradig is. Water is daarom iets om zuinig mee om te springen. De regen die in Australië valt, valt meestal tijdens het groeiseizoen en kan dan voor ziekten zorgen. Vandaar dat er veel minder biologische druiventeelt is dan je op grond van de vele zon en droogte zou verwachten.

Gigantisch naast klein

Als je het Australische wijnaanbod in Europa ziet, zou je makkelijk kunnen denken dat de productie verdeeld is over slechts een handjevol grote bedrijven. In zekere zin is dat ook zo. Het leeuwendeel van de Australische wijn komt uit de fabrieken van een paar conglomeraten. Maar er is nog een andere kant. Net als

Moderne filterapparatuur

Yarra Valley

in Californië zijn in Australië ook talloze kleine producenten actief. Hoewel sommige Australische *wineries* kunnen bogen op een historie van anderhalve eeuw, is de overgrote meerderheid nog jong. 70% van alle geregistreerde actieve wijnbedrijven is pas gesticht na 1990. Die nieuwkomers hebben ervoor gezorgd dat de Australische wijnindustrie er een is van paradoxen, want de branche wordt tegelijkertijd gekenmerkt door grootschaligheid en kleinschaligheid.

In 1990 telde Australië ongeveer 600 commercieel werkende producenten, in 2000 waren dat er al 1200 en sindsdien is de teller opgelopen tot bijna 2600. Van al die producenten blijkt drie kwart in de categorie 'klein' te vallen, wat wil zeggen dat ze per jaar minder dan 100.000 kilo druiven verwerken. Daar staat dan tegenover dat de twintig grootste Australische wijnbedrijven samen goed zijn voor een kleine 80% van de totale productie en de grootste vijf alleen al voor ruim de helft!

Rosemount Estate

Meesterblenders

Merkwijnen spelen een cruciale rol binnen het verhaal van de Australische wijnindustrie. Een van de sterke punten van een merkwijn – in Australië in overgrote meerderheid *varietals*, dus wijnen van één druivenras – is dat hij een constante, herkenbare smaak heeft. Bij een natuurproduct als wijn is dat makkelijker gezegd dan gedaan, aangezien geen twee oogstjaren ooit exact hetzelfde resultaat opleveren en er geheid regionale ver-

schillen optreden. De methode om die effecten teniet te doen en een consistente kwaliteit te garanderen, is mengen (op z'n Nederengels: blenden). De Australiërs hebben laten zien daar ware meesters in te zijn, op alle kwaliteitsniveaus.

Binnen het Australische concept is stijl lange tijd belangrijker geweest dan specifieke herkomst of terroir (het samenspel van locatie van de wijngaard, klimaat, weer, bodemtype en druivenras). Zelfs Penfolds Grange, de beroemdste wijn van het land,

Wijnwinkel in Barossa

draagt de herkomstbenaming South Australia en niet die van een prestigieus terroir als Coonawarra. Om de handen helemaal vrij te hebben en niet gehinderd te worden door administratieve grenzen werd zelfs de benaming South Eastern Australia bedacht. Daarbinnen kunnen producenten naar hartenlust wijnen uit drie provincies blenden: South Australia, Victoria en New South Wales. Australië telt momenteel overigens circa zeventig min of meer individuele wijngebieden.

Aandacht voor terroir

Nu ook in de Nieuwe Wereld steeds meer aandacht komt voor dat magische begrip terroir en de concrete uitwerking daarvan in wijnen, begint er langzaam maar zeker verandering te komen. Specifieke herkomstgebieden gaan er steeds meer toe doen. We hebben het dan vooral over de grote spelers, die zien wat er in de rest van de Nieuwe Wereld gebeurt en niet achter willen blijven. Voor de vele kleine producenten deed herkomst er altijd al

Oude cabernet in Barossa Valley

veel meer toe, om de simpele reden dat ze het nou eenmaal vaak moeten of bewust willen stellen met hun eigen wijngaarden. Ook zie je in Australië een toenemende belangstelling voor relatieve koelte, net als in onder andere Chili, Zuid-Afrika en Nieuw-Zeeland. Relatief, want de kustwateren van dit continent zijn helaas wat minder koel dan die van Chili, de Kaap, Californië of 'buurland' Nieuw-Zeeland. Verder zie je op tal van plaatsen specialisatie in bepaalde wijnen, op basis van regionale klimaat- en bodemomstandigheden. Voorbeelden daarvan zijn onder

De wereld over

Australiërs hebben de reputatie reislustige types te zijn. Dat geldt zeker voor wijnmakers van *Down Under*. Heel wat van die goed opgeleide wijnmakers gingen in de jaren negentig naar Europa of Californië om daar de oogst mee te maken. Wat min of meer als stage begon, veranderde nogal eens in adviseren. Australische wijnmakers en wijnbouwkundigen staan namelijk bekend om hun grote vaktechnische kennis, die ook buiten hun eigen land op waarde geschat wordt. Ook hechten ze bijzonder veel belang aan hygiëne in de wijnkelder, wat wijnen overal ter wereld goed doet. Al reizende en adviserende creëerden ze het fenomeen *flying winemaker*. Die term is inmiddels niet meer zo nauw verbonden met Australiërs; ook Franse adviseurs zijn er tegenwoordig happig op die te gebruiken.

Oyster Bay, Tasmanië

wordt, is zo gewild dat niet alleen kleine lokale producenten het verwerken, maar ook grote bedrijven op het vasteland.

Het eiland heeft een eigen herkomstbenaming, *Geographical Indication Tasmania*. Die profileert zich vooral met de druiven pinot noir en chardonnay, zowel voor stille als mousserende (*sparkling*) wijnen, maar ook met riesling en sauvignon blanc. Een derde van alle wijnen die het eiland produceert, komt uit Tamar Valley. De naam Tasmania is trouwens een eer-

meer Clare Valley voor Riesling, Adelaide Hills voor Chardonnay en Tasmania voor Pinot Noir.

Koel en fris: Tasmania

Een van de opmerkelijkste nieuwkomers onder de Australische wijnregio's is het eiland Tasmania. De eilanders schrijven dat toe aan hun *cool climate* – koel naar Australische normen dan. Hoewel Tasmania slechts 0,5% van de totale Australische wijnoogst voor zijn rekening neemt, is het prestige ervan onevenredig veel groter. Het frisse fruit dat er geteeld

It's show time!

Australiërs zijn verzot op *wine shows* (wijnwedstrijden) en de bijbehorende eretekens als medailles, linten en bekers met grote oren. Deelname aan die shows is een must voor iedereen die naam wil maken dan wel zijn reputatie wil bevestigen. Het showsysteem heeft dan ook een grote invloed gehad op zowel de technische als stilistische kant van het Australische wijn maken. Ook waren deze wine shows een inspiratiebron voor de vele wijncompetities in Zuid-Afrika.

betoon aan de Nederlandse ontdekkings-reiziger Abel Tasman, die in 1642 het ei-land als eerste Europeaan betrad.

Lieveling shiraz

In de Australische wijngaarden staan alles bij elkaar zo'n 140 verschillende druivenrassen aangeplant. Een duize-lingwekkend aantal, dat iets zegt over het genoegen dat wijnproducenten beleven aan experimenteren. Hooguit een stuk of tien van al die rassen doet er commercieel

Gemechaniseerd wijngaardbeheer

echt toe; de rest speelt een ondergeschikte rol. Op dit moment althans.

De Australische lievelingsdruif anno nu is shiraz. Ruim drie kwart van alle pro-ducenten werkt ermee. Hij heeft die rol overgenomen van chardonnay en daar-voor weer sémillon. In feite is shiraz hetzelfde ras als syrah (uit Frankrijk), al-leen smaken de wijnen ervan anders. Dat heeft zowel te maken met de natuurlijke omstandigheden als met de manier van wijn maken. In Australië wordt syrah of-wel puur gebotteld ofwel in combinatie met cabernet sauvignon: de populairste blend uit Australië. Ook zit er syrah in de blends die men kortweg GSM noemt en die bestaan uit grenache, syrah en mour-vèdre.

Aangezien de druifluis phylloxera nooit een serieuze bedreiging heeft gevormd, kun je her en der nog oeroude stokken shiraz vinden. Honderd jaar is niets bij-zonders. Hoezo eigenlijk Nieuwe Wereld?

Stekje uit 1788

Zo héél nieuw is de druiventeelt in Aus-tralië eigenlijk ook niet. De eerste wijn-stokjes, onder andere afkomstig uit de Kaap, werden er geplant in 1788, en wel in de tuin van de gouverneur in Syd-

Onontbeerlijke koeltechniek

ney. Pas enkele decennia later kwam er plantmateriaal uit Europa. Vandaag de dag zo vanzelfsprekende druiven als cabernet sauvignon en chardonnay deden hun intrede pas in de jaren zeventig van de twintigste eeuw. Idem de techniek om daar wijnen van te maken in de fruitige stijl zoals we die nu waarderen. Denk aan stalen tanks en koelapparatuur, onontbeerlijk in een warme omgeving. Tot dan toe bestond een groot deel van de Australische productie min of meer noodgedwongen uit versterkte zoete wijnen. *Heavy stuff*, om zo te zeggen.

Steun de koalabeer met deze klassieke, boterige Chardonnay

Je kijkt in Australië eerst naar rechts, dan naar links en vervolgens weer naar rechts. Ze rijden er immers links. Alleen hebben ze er geen beren, afgezien dan van die (naar het schijnt) knuffelbare koala's, die zelden of nooit aan oversteken doen. Toch verwijst dit etiket wel degelijk naar koala's, die in Australië blijkbaar *bears* worden genoemd. Het label Bear Crossing van het huis Angove is een duidelijke knipoog naar het bekende merk Yellow Tail, dat furore maakte met een kangoeroe op het etiket. Maar deze wijnen gaan weer een stap verder, omdat het ook de bedoeling is de Australian Koala Foundation te ondersteunen en daarmee het voortbestaan van de koala. Angove koos ervoor een klassieke Chardonnay te maken, op basis van druiven die afkomstig zijn uit Angoves eigen Nanyawijngaard. Het is een boterige Chardonnay, dik en rijp, met fruit als perzik en mango. *Cute*!

Bear Crossing • Chardonnay • South Australia
🍇 chardonnay

€ 6 tot € 7   Intercaves

Intense, peperige wijn van verrassende druif

Voor Australië lag het in eerste instantie voor de hand om bekende Europese druivenrassen te planten. Die zijn bij de wijndrinker nu eenmaal het populairst en dus ook het gemakkelijkst te verkopen. Het probleem is echter dat veel van de warme wijngebieden van Australië niet altijd zo geschikt zijn voor deze druiven, die hun succes vaak danken aan hun aanplant in gematigde klimaatzones. Het is dan ook de moeite waard om rond te kijken naar druiven die beter bestand zijn tegen de hitte. Zoals de blauwe durif (ja, je leest het goed), ook bekend als petite sirah. Hij is het resultaat van een spontane kruising waarbij syrah een van de ouders was. De naam petite sirah wordt vooral in Engelstalige wijngebieden gebruikt. Intens in alle opzichten, peperig en stevig, zit goed in het gestoofde zwarte fruit, krenten, warm, uitstekend getypeerd. Mooi glas rood. Weer eens wat anders dan Shiraz.

Bush Creek • Petite Sirah • South Eastern Australia
🍇 petite sirah

€ 5 tot € 6   Plus

Stoer en stevig: een wijn voor liefhebbers van serieuze Shiraz

Barossa Valley, de wijnstreek ten noorden van Adelaide, geldt als een van de beste wijngebieden van het Australische zuiden. Het is een uitgesproken warme streek, waarin dan ook zeer krachtige rode wijnen worden gemaakt. Het gebied heeft een bijzondere ondergrond, die bestaat uit watervasthoudende klei. Daarin kunnen de druivenstokken diep wortelen en ook perioden van droogte goed overleven. Het zorgt voor smaak en diepgang in de wijnen. Voor syrah, een druif die de warmte gewend is, is dit de perfecte wijnstreek. Dit is dan ook weer zo'n fraaie Barossa Shiraz. Laat het woord *Grand* maar weg; interessantdoenerij is in dit geval nergens voor nodig. Want een serieuze vertegenwoordiger van dit befaamde Australische wijngebied is-ie zonder twijfel. Ook een representant van de stoere stijl. Zoet-kruidig, pruimen, bescheiden eucalyptus, vlezige tannine, heftig. Voor de liefhebbers, bij stevige wildgerechten met dito sauzen.

Château Tanunda · Grand Barossa Shiraz · Barossa Valley
🍇 shiraz

€ 9 tot € 10   Jumbo

Easy drinking, werkt altijd: makkelijke, mollige Shiraz

De afgelopen decennia van de *Wijnalmanak* was Australië bij uitstek het land dat zichzelf op de kaart heeft gezet met een aantal wijngiganten, waar Lindeman's er een van is. Dergelijke bedrijven betrekken hun druiven uit een groot aantal verschillende wijngaarden, verspreid in het zuidoosten van Australië. Met deze druiven kunnen wijnen helemaal op maat van een bepaald smaakprofiel in elkaar worden gezet. Gemak dient ook de wijndrinkende mens! Voeg daaraan toe dat je met de druif shiraz alle kanten op kunt en je begrijpt de laagdrempeligheid van deze Bin 50. De druiven worden rijp geplukt, met veel concentratie. Een korte rijping op Amerikaans eiken zorgt voor een aangename, lekker exuberante vanilletoon. Een klein beetje restsuiker rondt de wijn af. Open, aardig fruit, kersenjam, rond en gemakkelijk. *Easy drinking*. Bij de doordeweekse pasta of het spreekwoordelijke stukje kaas. Werkt altijd.

Lindeman's • Bin 50 Shiraz • South Eastern Australia
🍇 shiraz

€ 6 tot € 7   Albert Heijn

Een echte Aussie, met intense en krachtige smaak

Het onderscheid dat in Australië wordt gemaakt tussen Syrah en Shiraz duidt in feite alleen maar verschillende typen wijn aan. Want uiteindelijk gaat het om dezelfde druif: syrah. Die is uit het Rhônedal – en oorspronkelijk zelfs uit Iran – afkomstig. De Australiërs zagen in deze druif een mogelijkheid om wijnen te maken die wat intenser en voller van karakter waren en daarmee ook een perfecte match vormden met het uitgesproken warme klimaat van het Australische zuiden. Bovendien bleken veel wijndrinkers een voorliefde te hebben voor een iets zoeter overkomend type wijn. Met een door ons als 'commercieel' betitelde Shiraz is dan ook niets mis. We geven er enkel mee aan dat veel mensen hem zullen appreciëren. Ook al komt er geen 'verhaal' aan te pas. Wat voor alles telt, is smaak. Dit is een intens en krachtig smakende Shiraz. Bramenjam, tikje gebrand en kruidig, zwoel en breed. Een echte *Aussie*.

McPherson • Shiraz • South Eastern Australia
🍇 shiraz

€ 5 tot € 6   Mitra

Vakkundig gemaakte Pinot Grigio, dus fruitig en lichtvoetig

Net als bij rode wijnen heeft Australië bij zijn witte wijnen behoefte aan meer variatie. Een jaar of tien geleden leek het erop dat in Australië alleen maar shiraz, cabernet, chardonnay en sémillon aangeplant stonden. Althans van grote afstand gezien. Van riesling, sauvignon en pinot noir kijken we intussen al niet meer op, maar er is nog veel meer gaande in de wijngaarden. Want pinot gris (of pinot grigio) heeft er intussen ook wortel geschoten. Er is een voorkeur voor het gebruik van de Italiaanse benaming, dus Pinot Grigio. De Franse versie van deze wijn wordt nog wel eens als wat zwaar ervaren, terwijl Pinot Grigio staat voor fruit en lichtvoetigheid. Dat geldt ook voor dit aangename en zeer vakkundig gemaakte glas. Sappigheid en vulling zijn uitstekend. In de smaak een klein zoetje, maar met de lichtheid die we van dit type wijn kunnen verwachten.

Oxford Landing Estates · Pinot Grigio · South Australia
🍇 pinot grigio

€ 8 tot € 9   Wijnkring

Perfecte blend, die het verdient groot ingekocht te worden

In een selectie van de lekkerste rode wijnen van Australië mag deze wijn van Penfolds niet ontbreken. Het huis Penfolds staat bekend om zijn bijzondere topwijnen, met de Grange als icoonwijn. Maar ook bij de betaalbare wijnen is Penfolds ijzersterk en Rawson's Retreat is een echte klassieker. De naam verwijst naar het buitenhuis dat de oprichter van Penfolds, dr. Christopher Rawson, liet bouwen in de befaamde Magillwijngaard bij Adelaide, waar nu ook een prachtige *winery* en een restaurant gebouwd zijn. Deze wijn is een mix van syrah (voor de peperigheid en souplesse) en cabernet sauvignon (voor structuur en frisheid). Een typisch Australische combinatie, die perfect werkt. Het hoge niveau van Penfolds wordt elk jaar weer geëvenaard. Zonder problemen. Gul glas, met stevigheid, jong fruit voor de frisheid en niet te stroeve tannine. Verdient het om flink ingeslagen te worden.

Penfolds • Rawson's Retreat Shiraz - Cabernet • South Eastern Australia
🍇 shiraz, cabernet sauvignon

€ 7 tot € 8   Gall & Gall

Een Shiraz die alles heeft wat Australische Shiraz hebben moet

Rosemount Estate heeft zich in de iets meer dan veertig jaar van zijn bestaan ontwikkeld tot een van de groten binnen de Australische wijnindustrie. Het betekent dat het binnen zijn portfolio uiteenlopende kwaliteits- en prijsniveaus kent. De Diamond Labelwijnen zijn herkenbaar aan ruitvormige etiketten. Tegenwoordig hebben ook de flessen waarin de wijnen zitten een soort ruitvorm gekregen, waardoor het geheel een bijzondere uitstraling heeft. Maar ondertussen is er in al die jaren aan de inhoud niets wezenlijks veranderd. Als je denkt aan typische Australische Shiraz, dan is dit 'm: een krachtige en volle rode wijn, soepel en open, dik en rijp. Op de achtergrond een klein vleugje zoet, waardoor hij heerlijk afgerond overkomt. In deze Shiraz vind je ook het vertrouwde rode Australische fruit van bramen en pruimen, stevigheid en keurige lengte. Een wijn die nooit teleur zal stellen.

Rosemount • Diamond Label Shiraz • South Eastern Australia
🍇 shiraz

€ 8 tot € 9   Albert Heijn

Originele blend, waar ze in Frankrijk van zouden schrikken

Australië is een wijnland zonder poespas. En een land waarin ook echt alles mogelijk is. Traditie is er eigenlijk niet, zodat de wijnmakers de vrije hand hebben hun eigen tradities te creëren. Bij het blenden is dan ook geen enkele combinatie van druiven taboe. Het resultaat, daar draait het om. In een land als Frankrijk zou een combinatie van de druiven sémillon en chardonnay niet gauw mogelijk zijn. Sémillon staat alleen in de Bordeaux aangeplant, chardonnay in de Bourgogne en de Languedoc. Het slimme van deze Australische blend is dat de zuren van de wijn van sémillon voor een mooie balans zorgen met het rijpe en rijke karakter van de chardonnay. Sémillon met ondersteuning van chardonnay werkt daardoor heel goed. Meloen, mango, abrikoos en perzik tekenen voor het fruit in deze blend. Honing en frisse zuren completeren het geheel tot een aangename en nog altijd hoogst originele witte wijn.

Willowglen • Semillon - Chardonnay • South Eastern Australia
🍇 sémillon, chardonnay

€ 4 tot € 5 Dekamarkt

Verkoopsucces: Chardonnay met rijpe, zachte smaak

Yellow Tail mag gerust een van de allergrootste Australische marketingsuccessen van de afgelopen decennia worden genoemd. Vooral in de VS waren de wijnen van Yellow Tail onmiddellijk een megasucces. Nog altijd is Yellow Tail daar de meest geïmporteerde wijn. Het is altijd leuk om je af te vragen hoe zo'n succes tot stand komt. In de eerste plaats is er natuurlijk die kangoeroe op het etiket. Dierenafbeeldingen werken altijd vertederend. Maar uiteindelijk gaat het toch om wat er in de fles zit. En dat was van het begin af aan heel soepel en aangenaam van karakter, open en tegelijk intens, met een verleidelijke, lichte zoetimpressie. De Yellow Tail Chardonnay is altijd een heerlijk rijpe en krachtige witte wijn, maar in de afgelopen jaren is de stijl wel iets frisser geworden. Hij ruikt en smaakt naar meloen, cashewnoten en perzik, heeft een fijn botertje, en een zachte en rijpe smaak. Typisch Australisch wit.

Yellow Tail • Chardonnay • South Eastern Australia
🍇 chardonnay

€ 5 tot € 6   Bas van der Heijden, Dekamarkt, Digros, Dirck III, Dirk van den Broek, Jan Linders, Plus, Vomar

An de ene kant 5000 kilometer kust, aan de andere kant hooggebergte met toppen tot 7000 meter en hooguit 200 kilometer daartussenin. Alleen al door zijn smalle en langgerekte vorm is Chili een ongewoon wijnland, ingeklemd als het ligt tussen de Andes en de Stille Oceaan. En het land heeft ambitie. Chili wil meespelen in de mondiale eredivisie van wijnen die het hart sneller doen kloppen.

Chili

Goed nieuws: Chili is hard bezig de puntjes op de i te zetten. Als een van 's werelds belangrijkste exporteurs wil het meer dan alleen maar grote volumes wijn produceren voor een schappelijke prijs, oftewel *value for money*. Chileense wijnmakers willen werken met andere druiven dan alleen het handjevol overbekende rassen, willen meer diversiteit, maatwerk en complexiteit. De mogelijkheden daarvoor zijn volop aanwezig in dit prachtige wijnland. Chili 3.0 is in de maak.

Chili valt in eerste instantie vooral op door zijn vorm: het land is smal en lang, met aan de ene kant 5000 kilometer kust, aan de andere kant hooggebergte met toppen tot 7000 meter. Het land ertussenin is hooguit 200 kilometer breed. Tussen de oceaan en het binnenland ligt ook nog een kustgebergte, dat met een hoogte van 300 tot ruim 800 meter weliswaar veel lager is dan de Andes, maar waarvan de invloed op het klimaat en dus ook op de wijnbouw bijzonder groot is. Historisch gezien concentreerde de wijnbouw zich eerst in Maipo, vlak ten zuiden van de hoofdstad Santiago. Na de explosieve groei in het laatste kwart van de twintigste eeuw strekt de wijnbouw in Chili zich tegenwoordig echter uit over een afstand van ongeveer 1500 kilometer: van Atacama bij de gelijknamige woestijn in het noorden tot Malleco, nog voorbij het bekende Bío-Bío, in het regenachtige zuiden.

Potentieel voor bio

Chili heeft op papier ideale condities voor wijnbouw. Het heeft een overwegend – maar niet 100% – droog klimaat met enorm veel zonlicht. De noodzakelijke irrigatie is geen probleem, dankzij de royale aanvoer van smeltwater uit de Andes. Door het geografische isolement en de door de douane nadrukkelijk in de gaten gehouden quarantaine is het land vrij gebleven van de verwoestende druifluis phylloxera en van onaangename plantenziekten. Toch is Chili niet per definitie een paradijs voor biologische wijnbouw. Het aantal gecertificeerd biologisch of biologisch-dynamisch werkende producenten is vooralsnog zelfs verrassend klein. Want als er eens regen op het verkeerde moment valt, bijvoorbeeld in een jaar waarin El Niño zich laat voelen, of wanneer je druiven teelt in het diepe zuiden waar jaarlijks 1300 millimeter valt, dan kan ook in Chili meeldauw optreden. Reclames voor bestrijdingsmiddelen van grote agrochemische bedrijven spreken trouwens ook duidelijke taal. Maar een goudmijn voor de chemiereuzen zal Chili nooit worden. Er lijkt al met al een groot potentieel aanwezig voor producenten die biologisch of biodynamisch willen werken.

Natuurlijke slakkenbestrijding in een biologische wijngaard

Groeikracht

Zoals gezegd komt phylloxera, de druif-luis die het voorzien heeft op de wortels van de wijnstokken, in Chili niet voor. In Europa worden zo goed als alle jonge wijnstokken geënt op het onderste deel van Amerikaanse druivenstokken (zoge-heten wortelstokken), die resistent zijn voor de druifluis. In Chili kunnen alle druivenplanten gewoon zelf wortelen, waardoor ze over een enorme groeikracht beschikken. Toch gaan steeds meer pro-ducenten over tot het gebruik van wor-telstokken. Waarom? Omdat ze met wortelstokken ofwel de groeikracht van een plant kunnen beïnvloeden – lees: af-remmen – ofwel kunnen inspelen op heel specifieke bodemcondities. Bij nieuwe aanplant is gebruikmaking van wortel-stokken tegenwoordig eerder regel dan uitzondering. Over Chili 3.0 gesproken.

Wijngaarden van Casa Silva

Valleien

Chili is een land van valleien. Zeker als het gaat om gebiedsnamen voor wijn. Op veel Chileense etiketten staat als her-komstgebied de Valle Central genoemd, in het Engels Central Valley. (Het gebruik van Engelse namen voor de verschillende wijnvalleien is wijdverbreid en ook offi-cieel toegestaan. Maar zouden Italianen of Fransen er ooit over piekeren dat ook eens te proberen?)

Central Valley is de verzamelnaam voor diverse afzonderlijke valleien en her-komstgebieden in de 1000 kilometer lange, centrale wijnbouwzone van Chili, ten zuiden van Santiago. Wijnen met deze herkomstbenaming kunnen dus sa-mengesteld zijn uit druiven die groeien in heel uiteenlopende deelgebieden. Pro-ducenten van merkwijnen kunnen door die flexibiliteit jaar in, jaar uit wijnen van constante kwaliteit leveren. Met terroir,

Traditioneel ploegen

Hogerop

Altijd gedacht dat Chili vooral vlakke wijngaarden op rijke, alluviale bodems (dat wil zeggen met rivierafzettingen) in brede rivierdalen kent? Dat was ooit wel zo, maar de afgelopen tijd zijn op grote schaal wijngaarden op hellingen aangelegd. En er zullen er beslist nog meer volgen. De bodems zijn daar in de regel steniger en armer. Minder productief ook, wat in principe gunstig is voor de kwaliteit. Verder bieden hellingen de mogelijkheid om meer te spelen met de ligging van individuele percelen ten opzichte van de zon.

Een complicerende factor is alleen wel de irrigatie. Normaliter is het in het binnenland van Chili door de regenwerende invloed van het kustgebergte zo droog, dat kunstmatige bewatering in de meeste gevallen onvermijdelijk is en *dry farming*, dus wijnbouw zonder irrigatie, alleen bij uitzondering gebeurt. Nu is irrigatie in de valleien vrij eenvoudig toe te passen, maar bij wijngaarden op hellingen tot honderden meters boven zeeniveau kan dat niet zonder kostbare pompinstallaties. Voor basiswijnen zijn zulke wijngaarden daarom niet zo interessant, maar wel voor het duurdere segment, dat

dat wil zeggen uitgesproken invloeden van de natuurlijke omgeving in een bepaald gebied op de smaak van de wijn, heeft de benaming Central Valley natuurlijk niet veel te maken.

Tegenwoordig zie je steeds meer wijnen met een veel nauwer begrensde herkomst en daarmee, in principe althans, wel een uitgesprokener streekkarakter. Voorbeelden zijn Colchagua, Maipo, Curicó, Maule, Casablanca, Aconcagua, San Antonio en Limarí.

Cajón del Maipo

maatwerk nastreeft met een individuele signatuur.

Verkoeling van zee

Op de kaart ziet Chili er heel lang en heel smal uit. Wat dat smalle betreft: vlieg je een eindje langs de kust, dan zie je de witte toppen van de Andes alsof ze vlakbij zijn – ook al ligt er nog wel die 200 kilometer tussen. In wijntechnisch opzicht is Chili echter niet zozeer lang, maar vooral breed! Dat klinkt vreemder dan het is. De verschillen in klimaatomstandigheden komen namelijk veel meer van nuances in oostelijke of westelijke ligging – dichter bij de Andes of dichter bij zee – dan in noord of zuid. De koelste gebieden vind je daarom niet aan de zuidelijke wijnbouwgrens, maar juist aan de noordelijke, waar het eigenlijk warmer zou moeten zijn. (Chili ligt immers op het zuidelijk halfrond.)

Dé klimaatfactor bij uitstek in Chili is de mate van invloed van de verkoelende

Stille Oceaan. Koele zones – dat wil zeggen: koel binnen de Chileense context en niet binnen een Noordwest-Europese – worden tegenwoordig gezien als ideaal voor wijnen met de nodige spanning. Daarom is er een beweging richting de kust op gang gekomen. Om precies te zijn naar die plaatsen waar de koele lucht van de Stille Oceaan door gaten in het kustgebergte naar binnen kan stromen. Alleen waar van oost naar west lopende riviervalleien voor zulke gaten hebben gezorgd, valt er optimaal van de verkoelende zee-invloed te profiteren, vooral voor witte druiven als chardonnay en sauvignon blanc en blauwe als pinot noir. Een voorbeeld van zo'n gebied is Casablanca, maar recentelijk is ook het benedendeel van de Aconcagua Valley ontdekt als goed terroir. Andere voorbeelden van zulke koele nieuwkomers zijn Limarí Valley en Elqui Valley in het hoge noorden. Ook in deze relatief koele gebieden worden naar Europese maatstaven behoorlijk stevige wijnen gemaakt met makkelijk 13,5 of 14% alcohol.

Wijngaard in Aconcagua Valley

In de valleien meer naar het zuiden lopen de temperaturen in het centrale deel en aan de voet van de Andes juist op, omdat daar geen of veel minder zeelucht binnen kan stromen.

Jacht op beste terroirs

De aanplant van stokken in noordelijker streken wordt niet alleen ingegeven door de instroom van koele lucht van de Stille Oceaan. In de valleien meer naar het zuiden, waarvan Bío-Bío de bekendste is, lopen de producenten een stuk meer risico op vroege regenval in het herfstseizoen. En als Chileense wijnbedrijven ergens een hekel aan hebben, is het onzekerheid over regenval. Alleen een aantal pioniers plant hier stokken aan, vanwege de aantrekkelijke koele temperaturen en langere dagen. Druiven als riesling en gewürztraminer doen het hier heel goed. Verder is dit deel van Chili erg geschikt voor het maken van mousserende wijnen, al gebeurt dat nog maar mondjesmaat.

Ook zijn er veel producenten die binnen het 'eigen' dal zoeken naar nieuwe ter-

Casablanca Valley

roirs. Colchagua Valley, een van de meest dynamische streken, is daar een goed voorbeeld van. Producenten hebben er, op zoek naar die zo gewilde verkoeling, wijngaarden geplant tot op 15 kilometer van de oceaan, maar ook in het midden van het dal, tot een hoogte van 900 meter. Wijngaarden met carmenère verschijnen aan de voet van de Andes, waar ze profiteren van de frisse bergwind die elke middag opsteekt. De beste terroirs voor cabernet sauvignon bevinden zich eveneens aan de voet van de Andes, maar dan in de iets warmere Maipo Valley, direct ten zuiden van hoofdstad Santiago. Hier zijn naar Frans voorbeeld zelfs een paar echte appellations benoemd: Pirque, Peumo en Puente Alto.

Ook op etiket

In Chili is geleidelijk het besef gegroeid dat de zoektocht naar de beste terroirs eigenlijk wel móest leiden tot een aanduiding van het terroir op het etiket. De aanduiding van alleen het rivierdal doet de invloed van de oceaan en de Andes op het karakter van de wijn immers geen recht. Besloten werd om drie terroirzones te definiëren, die inmiddels bij een deel van de wijnen ook daadwerkelijk op het

Wijnbar

etiket te vinden zijn: Costa (aan de kust), Entre Cordilleras (het binnenland tussen het kustgebergte en de Andes) en Andes (aan de voet van de Andes).

Het gebruik van deze termen is volledig vrijwillig en bedoeld als aanvulling op de bestaande, officiële herkomstbenamingen. De producent kan zelf uitmaken of zo'n naam iets toevoegt en of de stijl van zijn wijn karakteristiek is voor het vermelde terroir. Net als in de andere nieuwe wijnlanden zijn de Chileense wijnproducenten huiverig voor het verplicht opleg-

Het vrijblijvende karakter van de nieuwe terroirzones is dus begrijpelijk. Maar de valkuil is dat er allerlei herkomstbenamingen door elkaar worden gebruikt, en dat het de consument uiteindelijk weinig meer zegt.

Voorsprong door techniek

Al met al veel aandacht voor de wijngaard dus, maar gelukkig ook voor keldertechniek. Wijn wordt immers niet alleen in de wijngaard gemaakt: een goede kelder is net zo belangrijk. Omdat de Chilenen als nieuwkomers weinig last hebben van historische tradities, zijn ze niet bang om vrijuit te experimenteren en goed te kij-

gen van nieuwe appellations, want voor je het weet, zit je met starre, beperkende regels. Bovendien is nu al duidelijk dat je veel wijngaarden eigenlijk niet echt goed kunt indelen, omdat ze niet typisch zijn voor het terroir waarin ze zich bevinden. De wijngaarden op 900 meter hoogte in Colchagua bijvoorbeeld liggen in het gebied Entre Cordilleras, maar door de hoogte van de wijngaarden lijkt de stijl van de wijnen meer op wijnen die gemaakt worden aan de voet van de Andes, dus uit de terroirzone Andes.

Open voor bezoek

ken naar wat de markt vraagt. Gebruik van de modernste technieken is daarom een vanzelfsprekendheid, zeker wanneer je fruitigheid van je wijn als belangrijk kenmerk ziet. Met techniek kun je misschien niets toevoegen aan een wijn, maar toepassing ervan is onontbeerlijk om het goede dat je uit de wijngaard haalt te behouden. Over techniek gesproken, steeds meer Chileense kelders worden tegenwoordig aardbevingsbestendig geconstrueerd. Geen overbodige luxe na de zware aardbeving in 2010, waarbij de nodige hectoliters wijn verloren zijn gegaan.

Marktgericht

De Chileense wijnbouw drijft op export. Qua organisatie en presentatie doet de bedrijfstak eerder Noord-Europees of Amerikaans dan Latijns aan. Hoewel er best wel *funky* en kleinschalig werkende producenten te vinden zijn, die er tijdens een heerlijk chaotische proeverij van hun wijnen niet voor terugdeinzen om ook bier van een lokale microbrouwerij te schenken, wordt het beeld toch bepaald door geoliede grote bedrijven. Die laten een bijzonder hoog niveau van professionaliteit zien, zowel op het gebied van

Op de fiets bij Cono Sur

De winery van Errázuriz

wijnbouw en vinificatie als op dat van presentatie – om nog maar te zwijgen van gebouwen die meer zijn dan alleen maar een functionele bedrijfsruimte. Sommige Chileense wijnmakerijen hoeven niet onder te doen voor de spectaculaire architectonische hoogstandjes die je in Spanje tegenkomt.

Eerlijk gezegd is het wel prettig om telkens perfect georganiseerde proeverijen te kunnen doen, waarbij aan werkelijk alle details aandacht is besteed. Daar zou men bijvoorbeeld in Frankrijk nog wel wat van kunnen opsteken. Of je in je kelder aan de wijn nou echt Gregoriaanse gezangen moeten laten horen, zoals ze bij het beroemde huis Viña Montes doen, is een vraag van geheel andere orde...

Fransen dol op Chili

Tja, de Fransen. Al blijven ze maar klagen dat het zo slecht gaat met de wijnbouw in hun eigen land, Fransen hebben echt wel verstand van wijn maken. En niet in de laatste plaats van wijn maken in de Nieuwe Wereld.

Evenals buurland Argentinië blijkt Chili als een magneet te werken op Franse in-

Blikvanger bij Viña Montes

vesteerders, wijnmakers en adviseurs. Met voorop natuurlijk die uit Bordeaux, maar met zo hier en daar zowaar ook wel eens een uit de Bourgogne. Al die Fransen voel(d)en zich aangetrokken door de gunstige omstandigheden in Chili, met name voor rode wijnen, en de vrijheid om te kunnen doen en laten wat je wilt. Niet knellende regels bepalen hoe je je wijn maakt, maar de markt. Alleen moet je als Fransman niet de fout maken om in Chili een wijn zoals die in Bordeaux gemaakt wordt te willen kopiëren. De condities zijn nu eenmaal heel anders. Uiteindelijk bepaalt niet de directie van

Pinot noir

een grand cru in Bordeaux of de marketeer van een wijnbedrijf in Chili wat écht smaakt, maar het terroir. Waar de wijnmakers uit Bordeaux zich natuurlijk vooral met Merlot en Cabernet Sauvignon bezighouden, is er nu ook een rolletje weggelegd voor Bourguignons: er wordt op dit moment namelijk hard gewerkt aan het maken van goede Pinot Noir in Chili. Spannend!

Chilenen op hun beurt zijn de grens overgestoken naar de buren in Mendoza. Voor de trotse Argentijnen was en is dat misschien even slikken, want de verhoudingen tussen beide landen zijn verre van hartelijk. Maar ondernemen kun je aan Chilenen wel overlaten. Net als wijn maken.

Misverstanden omtrent druiven

Chili is een land van cépagewijnen, ofwel *varietals*: wijnen gemaakt van één druivenras en met de naam daarvan prominent op het etiket. Met die wetenschap is het verrassend dat er tot halverwege de jaren negentig in Chili nogal wat onduidelijkheid heerste over de ware identiteit van bepaalde druivenrassen. Over de belangrijkste druif, cabernet sauvignon, bestond geen misverstand en over chardon-

De wijngaard Los Lingues van Casa Silva in Colchagua Valley

nay al evenmin. Maar heel veel stokken die voor merlot werden aangezien, bleken ineens de veel minder bekende carmenère te zijn. Net als cabernet en merlot is dat een Bordeauxdruif die eind negentiende eeuw, tijdens de eerste wijnhausse van het land, naar Chili gekomen is. In Bordeaux is hij echter al ruim een eeuw verdwenen. Niemand die dus de naam kende. De Chilenen vreesden aanvankelijk voor een commerciële ramp, maar ontdekten al snel dat er aan het nadeel ook een voordeel verbonden was: namelijk dat carmenère een nagenoeg uniek Chileense druif is. Carmenère is sindsdien de 'nationale' druif van het land, zoals pinotage dat in Zuid-Afrika is.

Ook bij sauvignon blanc bleken er identiteitsproblemen te zijn. De druif die daarvoor aangezien werd, was bij nader inzien nogal eens de 'mindere' sauvignonasse; een naam waarmee je internationaal niet hoeft aan te komen.

Dit soort knulligheden behoort intussen tot het verleden. Een beetje bedrijf in Chili maakt nu met wetenschappelijke nauwgezetheid werk van de selectie van (klonen van) druivenrassen en weet tot

Elegante zonwering

op de stok nauwkeurig wat waarom op welke plaats staat. De wijnindustrie heeft namelijk een wetenschappelijke dimensie gekregen om u tegen te zeggen. Inderdaad, Chili 3.0.

Sappig wit

Chileense witte wijnen zijn schoolvoorbeelden van tot in de puntjes beheerste keldertechniek. Loepzuiver en, in het geval van Chardonnay, zonder overdaad aan hout en met vooral veel fruit en sappigheid. Sauvignon wordt in de regel he-

Booming business

De Chileense wijnbouw groeide de afgelopen jaren als kool. Hoewel er in de jaren tachtig en negentig al heel veel nieuwe wijngaarden waren aangelegd, nam de aanplant sinds 2000 nog eens met bijna een vijfde toe. Ook de productiecijfers liegen er niet om. Het volume kwaliteitswijn steeg van 135 miljoen liter in 1996 tot circa 700 miljoen nu. Saillant gegeven: het leeuwendeel daarvan wordt geproduceerd door nog geen honderd bedrijven.

Druivenselectie voor optimale kwaliteit

lemaal zonder hout gemaakt en is vaak vol, levendig en heel expressief. Met de ontwikkeling van nieuwe, koele gebieden hebben zowel Chardonnay als Sauvignon aan natuurlijke frisheid en aromatische expressiviteit gewonnen. Nog niet zoveel aangeplant als deze twee zijn viognier en riesling, rassen om in de gaten te houden. De viognier, ooit zelfs in zijn bakermat Noord-Rhône bijna helemaal verdwenen, begint zich zoetjesaan te ontplooien als een echte wereldburger. En dus wordt er ook in Chili mee geëxperimenteerd. Het

is bij deze nieuwkomer net als bij zijn blauwe tegenhanger en streekgenoot syrah nog even zoeken naar de juiste stijl. Iedere aanvulling op het nog ietwat smalle witte aanbod is echter welkom. Voor riesling en, niet te vergeten, de aromatische gewürztraminer geldt precies hetzelfde. Hoe dan ook, het potentieel is er. Wat we uit Chili tot nu toe nauwelijks gezien hebben, zijn rosé en mousserende wijn. Gelet op de aanwezige technische kennis en het goed ontwikkelde gevoel voor trends zou het een kwestie van korte

Roestvrijstalen tanks zijn de regel

tijd moeten zijn voor daar verandering in komt. Vreemd genoeg speelt rosé nog nauwelijks een rol van betekenis in de meeste wijnlanden van de Nieuwe Wereld, inclusief Chili. Voor mousserend – *sparkling*, zo je wilt – geldt hetzelfde.

Cabernet voorop

Chili is echter overwegend een rood land. Waarom zouden al die Bordelais anders naar Chili blijven komen? Het met afstand meest aangeplante druivenras is

Pisco

Muskaatdruiven uit Chili's allernoordelijkste wijngebied Atacama worden niet als grondstof voor wijn gebruikt, maar voor het nationale distillaat pisco – al claimen de buren in Peru dat pisco eigenlijk 'hun' drank is. En eerlijk gezegd lijken ze daarvoor inderdaad iets betere papieren te hebben dan de Chilenen.

Concha y Toro

blauwe cabernet sauvignon, goed voor een aandeel van ruim 40%. Begrijpelijk, want deze Bordeauxdruif levert over het algemeen wijnen van prima kwaliteit. Goed rijp, zonder droge tannine, maar juist met veel fruit. De positie ervan staat daarom niet ter discussie: hoogstens krijgt hij wat vaker een dienende aanvulling van andere druiven. Van merlot, hoewel nog steeds een commerciële hardloper, kan dat minder goed worden gezegd. In Chili blijkt die moeilijker optimaal rijp te krijgen dan gehoopt. Het enthousiasme bij producenten voor deze druif lijkt een beetje bekoeld nu ze carmenère als nieuw troetelkindje omarmd hebben. Maar hoewel Chili hiermee een 'eigen' druif kreeg en de verwachtingen dus hoog gespannen zijn, lijkt hij meer op zijn plaats in assemblages van het type Bordeauxblend. Als er al een nationale Chileense druif is, dan is het toch eerder cabernet sauvignon.

Meer mogelijkheden

Andere kandidaten in de race om de gunst van de wijndrinker zijn internationaal populaire rassen als syrah en pinot noir en de veel onbekendere carignan. In Chili is menigeen erg enthousiast over syrah, maar het lijkt voorlopig nog wel even zoeken naar de ideale stijl. Herinneringen aan wijnen uit de Noord-Rhône of Languedoc roepen ze maar zelden op. In heel wat gevallen is het resultaat een enorm rijke, alcoholische wijn die naadloos aansluit op de Amerikaanse smaak. Maar om nou te zeggen dat je van dit soort blockbusters makkelijk een flesje leegdrinkt? Gelukkig is er goede hoop voor de nabije toekomst: er komt een groeiend aantal elegantere Syrahs uit de koele kustgebieden.

Veelbelovende nieuwkomer syrah

Alternatieven voor de overbekende varietals zijn er ook nog in de vorm van blends of assemblages, combinaties van twee of meer druivenrassen. Vooral aan de bovenkant van de markt groeit hun aantal gestaag, met in de regel een surplus aan complexiteit in vergelijking met wijnen van maar één druivenras. Ook icoonwijnen, de toppers die voor internationaal prestige moeten zorgen, zijn hoofdzakelijk assemblages. Meestal hebben zij de vertrouwde cabernet sauvignon als fundament.

Nichedruiven

De ontwikkeling van relatief koele terroirs is een interessant gegeven voor de fans van pinot noir. Hij wint in Chili letterlijk en figuurlijk aan terrein. Verwacht hier ondanks adviezen uit de Bourgogne niet zozeer wijnen à la Côte de Nuits, maar eerder een knipoog richting de betere exemplaren uit Californië. Niet met de smaak van gekookte jam, maar juist met de nadruk op dat o zo lekkere Chileense fruit. We kunnen hier nog veel spannends tegemoetzien.

Carmenèrestokken

Druppelirrigatie

Casa Silva in Angostura

Een verrassend verschijnsel is de (her)-ontdekking van carignan, onder de Franse naam daarvan en dus niet als Spaanse cariñena. In Zuid-Frankrijk is carignan niet erg geliefd, omdat hij er vaak dunne en groene wijnen oplevert. Maar het kan ook anders. In Maule is deze druif op vrij grote schaal op oude stokken país geënt. Die país was het door de Spanjaarden in de zestiende eeuw geïntroduceerde werkpaard voor simpele alledaagse wijntjes. De uitsluitend binnenlandse vraag daarnaar neemt echter in rap tempo af, terwijl de teelt ervan vrijwel niets opbrengt. Carignan daarentegen blijkt een geweldig alternatief, goed voor wijnen met vlees en fruit. Dankbaar materiaal voor blindproeverijen en zeer de moeite waard!

Chili kort

- Aanplant: 205.000 ha (inclusief tafeldruiven en pisco)
- Aandeel rode wijn: 80%
- Aandeel witte wijn: 20%
- Belangrijkste witte druivenrassen: sauvignon blanc, chardonnay
- Belangrijkste blauwe druivenrassen: cabernet sauvignon, merlot, carmenère, syrah
- Aantal wijnbedrijven: 200
- Belangrijkste gebieden (van noord naar zuid): Limarí, Aconcagua, Casablanca, San Antonio, Maipo, Cachapoal, Colchagua, Curicó, Maule, Bío-Bío

Pure smaak van zwarte kersen

Wijnmaker Álvaro Espinoza was een van de eersten die de biodynamische druiventeelt in Zuid-Amerika introduceerde. Waar het hem om gaat, is een balans tussen de omgeving, de wijngaard en de wijn. Centraal daarbij staat kerngezond fruit, dat rijp geworden is zonder gebruik van synthetische kunstmest of bestrijdingsmiddelen. Natuurlijk kan een Cabernet Sauvignon niet aan de serie Adobewijnen ontbreken. Cabernet is immers de meest aangeplante druif van Chili. Om de wijn iets 'makkelijker' te maken is er 8% merlot aan toegevoegd. Die zorgt voor wat zwarte bessen in de smaak en maakt de wijn wat ronder. Verder is deze Reserva een wijn die heel veel waar voor zijn geld biedt. Pure smaak van zwarte kersen, een vleugje munt en eucalyptus. Aangename tannine zorgt voor ruggengraat en een mooie *spicy* toets. 20% van de wijn rijpt zes maanden op vaten van Frans eikenhout. Dat zorgt voor een mooi zachte afdronk.

Adobe • Cabernet Sauvignon Reserva • Central Valley
cabernet sauvignon

€ 5 tot € 6   AH Wijndomein, Albert Heijn (Biologisch)

Yes! Een serieuze maaltijdwijn

Onder de 5 euro scoren met een volwassen glas wijn, dat is niet zo makkelijk. En dan ook nog met een Sauvignon Blanc, waar we tegenwoordig zo ongeveer onder bedolven worden. Maar Aliwen doet het. Aliwen wordt gemaakt door Undurraga, een van de historische bodega's uit Chili, met een familiegeschiedenis die teruggaat tot 1879. Grondlegger was Francisco Undurraga Vicuña, die zijn project om wijngaarden aan te planten uitvoerde tussen 1879 en 1891. Het bleef een familiebedrijf tot 2006. Een grote investeerder zorgde daarna voor nieuwe dynamiek en bleef doorgaan met de productie van zeer betrouwbare en bovenal betaalbare wijnen, waar Chili goed in is. Deze Sauvignon is tegelijk vol en levendig. Grassige stijl, witte asperges, mandarijn, zachte afdronk. De frisheid kan een beetje *tricky* zijn, want hij heeft wel 14% alcohol. Dat maakt hem ook tot een serieuze maaltijdwijn. We dachten bijvoorbeeld aan Thaise gamba's met citroengras en gember. Yes!

Aliwen • Reserva Sauvignon Blanc • Central Valley
🍇 sauvignon blanc

€ 5 tot € 6   AH Wijndomein, Albert Heijn

Met de typische peperigheid van carmenère

Een wijn die niet mag ontbreken in dit overzicht. Deze aangename en betaalbare Carmenère is een typisch product van de opkomst van wijn na de val van dictator Pinochet, begin jaren negentig. De grenzen gingen open en de wijnindustrie van Chili nam een hoge vlucht. Het huis achter deze Alpaca, Misiones de Rengo, bracht zijn eerste wijn in 2001 op de markt en wist zich in korte tijd te ontwikkelen tot een van de belangrijkste producenten op de eigen, zeer competitieve, Chileense markt. De uitmonstering is heel herkenbaar, met het 'nationale dier', de alpaca, als uithangbord. Deze Carmenère is op het fruit gemaakt, maar doordat er ook wat planken in een deel van de gistingsvaten hebben gehangen, bespeur je er ook een vleugje vanille in. Je proeft de typische peperigheid van de carmenère, samen met het zoete fruit van zwarte pruimen en kersen. Hintje paprika, voldoende zuren, smakelijk. Een rode wijn die gezien mag worden.

Alpaca • Carmenère • Central Valley
🍇 carmenère

€ 5 tot € 6   C1000, Jumbo

Veel Chardonnay voor je geld

Chili wordt wel het paradijs voor wijnmakers genoemd. En dat is het ook. Het klimaat is er goed, er is water uit de Andes voorhanden om te irrigeren en je kunt er enorme landerijen volplanten met druivenstokken. Daarnaast zijn er voor druiven betrekkelijk weinig natuurlijke vijanden zoals schadelijke insecten of schimmels (door te veel regen). Kom daar in Europa maar eens om! Van alle bekende druivenrassen zijn dan ook enorme hoeveelheden aangeplant. En omdat het in Chili zo goed wijn maken is, kunnen wijnmakers er heel aantrekkelijke wijn maken voor een heel fijn prijsje. De schaalgrootte helpt ze ook nog eens een handje. Je krijgt dus veel Chardonnay voor je geld. Lekker fris, met ook wat molligheid voor de vulling, volop fruit als meloen, nectarine en mango. Sappig, makkelijk, verrukkelijk drinkbaar. Complimenten!

Campañero • Chardonnay • Central Valley
🍇 chardonnay

€ 4 tot € 5   Attent, Plus, Spar

Slank, soepel en uiterst beschaafd

Veel kenners zijn van mening dat cabernet sauvignon in Chili het beste presteert van alle druiven. Zeker is dat de rijpingscondities voor cabernet sauvignon in Chili, vooral aan de voet van de Andes, zonder meer ideaal zijn. Zelfs Nicolás Catena, een prominent producent in Argentinië, gaf toe dat in Chili betere Cabernet Sauvignon wordt gemaakt. Hij richt zich daarom liever op Malbec. Het Andesgebergte zorgt in de middag voor een frisse bergwind, waardoor de druiven mooi kunnen afkoelen na de hitte. Dat geeft de druiven veel smaak, maar ook goede zuren. Je proeft het in deze mooie rode wijn. Dat is een pluim waard, een Nieuwe Wereldwijn die in elegantie kan wedijveren met Europese tegenhangers. Imponeren met veel body is één ding, lekker wegdrinken is iets anders. Slanke Cabernet, soepel en smaakvol, voor een al even beschaafde prijs.

Casa del Río Grande • Cabernet Sauvignon • Central Valley
🍇 cabernet sauvignon

€ 4 tot € 5   Dirck III

Opwekkende en verrassend bescheiden Merlot

Het maken van lekkere Merlot in Chili is nog niet zo'n gemakkelijke zaak. Probleem is dat merlot een druif is die het niet graag te warm heeft, want dan wordt hij – paradoxaal genoeg – niet goed rijp. Bij Casa del Río Grande (gemaakt door het bekende huis Cono Sur) wordt dit probleem opgelost door merlotdruiven te oogsten van koelere plaatsen in verschillende valleien van Centraal-Chili. Bij de gisting van de wijn wordt erop gelet dat hij soepel en fruitig van karakter blijft, met een korte gisting op de schilletjes, zodat die hun harde tannine niet te veel aan de wijn afstaan. Dat maakt deze Merlot tot een heerlijk glas rood. En dat ook nog eens voor een mooie prijs. Het is een elegante wijn, boordevol kersen, absoluut niet zwaar of warm, maar juist verrassend bescheiden in zijn alcohol: 12% maar. Lekker rond, met een opwekkende frisheid.

Casa del Río Grande • Merlot • Central Valley
🍇 merlot

€ 4 tot € 5   Dirck III

Een feestje voor de mond, zacht en licht romig

De leden van de familie Silva hebben het goed voor elkaar. Aan de rand van hun wijngaarden hebben ze een eigen poloterrein en een restaurant, waar je de tijd uitstekend doorkomt. Een chique witte wijn als deze blend van chardonnay en sémillon misstaat daar niet op de kaart. Een feestje voor de mond, zacht en licht romig. Gele pruimen en honing. Een snufje zoete specerijen en fijne zuren van de doordacht toegevoegde sémillon geven wat extra spanning. De sémillon verdient wat meer aandacht. De druivenstokken ervoor werden al in 1912 geplant, nadat ze door de eerste generatie wijnmakers van de familie waren meegenomen uit Bordeaux. Door de fijne frisheid is deze wijn heel goed te gebruiken als aperitief. Maar hij is ook lekker aan tafel in te zetten bij kip of een 'groene' risotto met rucola en doperwtjes.

Casa Silva • Silva Family Wines Chardonnay - Semillon • Colchagua Valley
🍇 chardonnay, sémillon

€ 5 tot € 6   LFE

Hij heeft karakter, maar blijft mooi soepel

Al jaren een vaste gast in de *Wijnalmanak*, deze rode Chileen. Een beter visitekaartje voor Chili is moeilijk voor te stellen. Hij wordt geproduceerd door Concha y Toro, het grootste wijnbedrijf van heel Zuid-Amerika, maar met opmerkelijk veel oog voor detail. Dat is een bijzondere prestatie voor een wijn waar jaarlijks wereldwijd meer dan 10 miljoen flessen van worden verkocht! En dat is niet voor niets zo. Het is een zorgvuldig samengestelde wijn, gemaakt van cabernet sauvignon uit verschillende rivierdalen van Chili: Maipo, Rapel en Maule. Elke component draagt een steentje bij: de ene meer frisheid, de andere meer fruit en de derde kracht. Zo wordt op basis van de componenten steeds de ideale blend gemaakt, die zoveel wijndrinkers ieder jaar weer plezier geeft. Hij heeft karakter, maar blijft ook mooi soepel. Typisch Cabernet. Zwart fruit, cassis, romigheid, frisheid en pit. Tegelijk veel smaak, een chocolaatje na.

Casillero del Diablo • Cabernet Sauvignon • Central Valley
🍇 cabernet sauvignon

€ 6 tot € 7   Albert Heijn

Zuivere Cabernet, zacht en rond

Ooit vroegen we ons af of de fiets op het etiket van de Bicicletaserie écht bestond, maar we hebben hem nu met eigen ogen gezien. Bij het biologisch werkende Cono Sur wordt het personeel gevraagd om voor verplaatsingen naar en in de wijngaard gebruik te maken van de fiets, om onnodige CO_2-uitstoot te vermijden. Vandaar de naam Bicicleta. Kijk, zo draag je toch werkelijk een steentje bij aan duurzaamheid. In de wijngaard wordt hard gewerkt aan het herstel van het natuurlijke evenwicht, door het gebruik van veilige bestrijdingsmiddelen. Bemesting vindt plaats met eigen compost en een troep ganzen pikt 's winters het ongedierte uit de wijngaard. Dat maakt Cono Sur in veel opzichten uniek. En wat in de fles zit, is ook nog van een uitstekende kwaliteit. Daar gaat het natuurlijk om. Zuivere Cabernet, zacht en rond, in een gepolijste stijl en met onmiskenbare elegantie en frisheid, meer rood dan zwart fruit, goede balans.

Cono Sur • Bicicleta Cabernet Sauvignon • Central Valley
🍇 cabernet sauvignon

€ 5 tot € 6 Mitra

Omfietswijn, zouden sommigen zeggen...

Door de koele nachten en de nabijheid van de Andes is het mogelijk om in Chimbarongo, waar Cono Sur is gevestigd, behoorlijk goede Pinot Noir te maken. Dat is de reden dat het moederbedrijf van Cono Sur, Concha y Toro, hier in het verleden pinot noir heeft aangeplant. Maar uiteindelijk haalt Cono Sur zijn beste pinot-noirdruiven uit de koele Casablanca Valley. Pinot noir is met 22% van de aanplant dé focus van Cono Sur, dat zich wereldwijd de grootste producent van Pinot Noir mag noemen. Niet zo gek dus dat er heel mooie Pinot Noir wordt gemaakt. Staat de Bicicletaserie van Cono Sur voor biologische wijnen in de instapklasse, met de Reserva's belanden we op een ambitieuzer niveau. Je proeft dat aan een extra dimensie in complexiteit en finesse. Veel gepolijst donker fruit, zorgvuldig ingebed in eerste-klas hout, een pittige, kruidige toets, delicate zuren, prachtige lengte. Omfietswijn, zouden sommigen zeggen...

Cono Sur • Reserva Pinot Noir • Casablanca Valley
🍇 pinot noir

€ 9 tot € 10   Mitra

Verlokkelijk sap met flink wat tannine

De *winery* van De Martino ligt zo'n 50 kilometer ten zuiden van de Chileense hoofdstad Santiago, in Maipo. Het bedrijf bezit daar ongeveer 300 hectare wijngaarden en maakt er al jaren betrouwbare – en gelukkig ook heel aantrekkelijke – wijnen. Zoals deze Legado Reserva. Op het domein zwaait inmiddels de derde generatie de scepter. Ruim zestig jaar geleden trok Don Pietro De Martino Pascualone als jonge Italiaan uit het verarmde Italië naar Chili om er wijn te gaan maken. Dat doet de wijnmaker uiteraard ook van carmenère, Chili's 'eigen' blauwe druif, die zo lang voor merlot is aangezien. Vroeger stond deze druif ook in grote delen van Bordeaux in de wijngaarden. De druifluis deed dit druivenras daar bijna verdwijnen, maar zijn comeback maakt de carmenère triomfantelijk in Chili. Zwart fruit en een beetje gebrand hout in de neus. Veel sap, kersen, breed, flink wat tannine, koffie en chocola. Verlokkelijk.

De Martino • Legado Reserva Carmenère • Maipo Valley
🍇 carmenère

€ 8 tot € 9   Henri Bloem

Soepel, sappig en een tikje speels

In de beginjaren ging het vaak mis met carmenère, door de verwarring die bestond met die andere Bordeauxdruif, merlot. Merlot is bij uitstek een druif die je vroeg moet oogsten, maar carmenère moet juist lang rijpen en daarom laat worden binnengehaald. Als je die twee druiven verwart, gaat het dus goed mis. Dan ruikt de wijn onrijp, met krachtige aroma's van groene paprika. Inmiddels gaat het veel beter en zijn ook de betaalbare Carmenères heerlijk rijp en soepel van karakter. Deze komt uit Colchagua Valley, zeg maar het Napa Valley van Chili. Het gebied heeft een ideaal klimaat voor het maken van rijpe rode wijnen. Dit is zo'n soepele en sappige Carmenère. Puur bosfruit, nauwelijks paprika, wel een voor de druif heel kenmerkend pepertje. Hij heeft een evenwichtige structuur en is tegelijk nog wat speels. Geen wonder dat de Chilenen die druif carmenère tegenwoordig koesteren als nationaal erfgoed.

El Descanso • Reserva Carmenère • Colchagua Valley
🍇 carmenère

€ 5 tot € 6   Attent, MCD, Plus, Spar

In één woord de-li-ci-eus

El Descanso is een merk van Viña Errázuriz, een zeer bekend wijnhuis in Chili. Eduardo Chadwick, vijfde generatie wijnmaker, is hier de baas. Samen met zijn hoofdwijnmaker Francisco Baettig, in functie sinds 2003, werkt hij al jaren aan het moderniseren van het wijn maken, geheel in de geest van de grondlegger van het domein, Don Maximiano. Deze had het volgende motto: *From the best land, the best wine*. Net als veel andere grote Chileense bedrijven kan Errázuriz elke wijnliefhebber bedienen, met wijnen van 5 euro tot wijnen van 30 euro. Dat maakt het ook makkelijk eens het avontuur te kiezen. Neem van een wijnhuis dat je kent eens een duurdere (of goedkopere) wijn en kijkt wat je krijgt! Een interessant experiment. Deze Sauvignon Blanc heeft stuivende aroma's, passievrucht, limoen, de-li-ci-eus! Smaak van tropisch fruit, perfecte zuren en bitters. *Mouthwatering*, om het voor de verandering eens met een mooie Engelse term te zeggen.

El Descanso • Sauvignon Blanc • Central Valley
🍇 sauvignon blanc

€ 5 tot € 6   MCD, Plus, Poiesz

Stoer en stevig, met kruidigheid en leer: een echte eetwijn

'Elegante wijn met een stevige kern', zo werd de jaargang 1993 getypeerd. En zo zou je deze rode Chileense wijn nog steeds kunnen beschrijven. Hij is afkomstig van een van de eerste huizen die hun wijnen begin jaren negentig al helemaal op niveau hadden; destijds bepaald geen vanzelfsprekendheid. Nog steeds maken de wijnmakers van Errázuriz ieder jaar heerlijke wijnen. Er is sindsdien geen editie van de *Wijnalmanak* geweest zonder dat er wijnen van Errázuriz in waren opgenomen. Vandaar ook dat we meer dan één wijn van deze producent hebben gekozen voor *Het beste van de Wijnalmanak*. Het was lastig selecteren, want ze maken veel goede wijnen. Toch springen sommige wijnen erbovenuit. Deze Merlot is zwoel en heeft wat zoet fruit, is goed gemaakt en heel smakelijk. Je proeft wat kruidigheid en leer, bramen, ook wat bosbessen. Prima lengte. Stoer en stevig, maar zeker niet te zwaar. Wel een echte eetwijn.

Errázuriz • Estate Merlot • Central Valley
🍇 merlot

€ 9 tot € 10 Jean Arnaud

Een wijn die je bijna blind van het schap kunt pakken

De 1993 was volgens Hubrecht Duijker een 'energieke wijn uit Lontué'. Door de jaren heen is de wijn succesvol gebleven en zelfs steeds beter geworden. Het bedrijf dat Gato Negro maakt, Viña San Pedro, werd al eens verkozen tot Nieuwe Wereld Wijnhuis van het Jaar. De herkomstbenaming is inmiddels veranderd in Central Valley. Vanwege het succes worden de druiven nu uit heel Centraal-Chili gehaald. En het plastic katje onder de capsule, jarenlang hét handelsmerk van deze wijn, is verdwenen met de komst van de schroefdoppen. De aaibaarheid van de wijn is echter gebleven. Deze rode wijn is een vaste waarde. Een gemakkelijke, rijpe Cabernet, zacht, rond, sappig, met aardig fruit en een licht zoetje, wat je tegenwoordig bij heel veel instapwijnen tegenkomt. Niet heel complex, wel aangenaam. Een wijn die je bijna blind van het schap kunt pakken. Wat je favoriete druivenras ook is, want ook de andere Gato Negro's mogen er zijn.

Gato Negro • Cabernet Sauvignon • Central Valley
🍇 cabernet sauvignon

€ 4 tot € 5   Attent, Bas van der Heijden, Boni, Coop, CoopCompact, Dekamarkt, Digros, Dirk van den Broek, Hoogvliet, Jan Linders, Poiesz, Spar, SuperCoop, Vomar

Perfect evenwicht tussen fruit en Frans eikenhout

De laatste jaren is het assortiment van de verschillende supermarkten sterk verbeterd. Bij Albert Heijn én bij webwinkel AH Wijndomein is dat zeker het geval. Ook deze wijn is daar een mooi voorbeeld van. De zesde generatie van een wijnbedrijf waar Albert Heijn al lang mee werkt, Undurraga, is verantwoordelijk voor deze rode wijn. Zij zochten een terroir waarvan zij verwachtten dat je er kwaliteitswijnen zou kunnen produceren, waarin je zowel de kenmerken van de druif kunt proeven als de kenmerken van de locatie. Zo werden zij pioniers in Los Lingues, een veelbelovend terroir in het hoger gelegen deel van de Colchagua Valley. Koyle werkt in zijn wijngaarden volgens de principes van de biodynamische landbouw. Ook in de kelder heeft het bedrijf de zaken goed voor elkaar, want het heeft een perfect evenwicht weten te vinden tussen het fruit en het Franse eikenhout van de vaten. Mooi afgeronde wijn, zacht, krenten en kruidigheid, heel verleidelijk. Trefwoord: balans.

Koyle • Carmenère Reserva • Colchagua Valley
🍇 carmenère

€ 7 tot € 8   AH Wijndomein, Albert Heijn

Een lekker dikke rode Chileen in je glas

Hé, dat zie je eigenlijk heel weinig in Chili: echte familiebedrijven. Maar dit is er een. Opgericht in 1974 door Luis Felipe Edwards en inmiddels uitgegroeid tot een van de grotere en meest ambitieuze wijnbedrijven van het land. Op dit moment werken vijf van zijn zeven kinderen in het wijnbedrijf, plus nog een paar van hun echtgenoten. De eigen wijngaarden liggen in het hart van Colchagua Valley, het meest dynamische Chileense wijngebied van dit moment, 150 kilometer ten zuiden van Santiago. Wijnmaker Nicolas Bizzarri, schoonzoon van Luis Felipe, maakt deze lekkere Winemaker Selection, met carmenère en merlot in één wijn. In deze blend vullen ze elkaar mooi aan, een beetje zoals merlot en cabernet franc in Saint-Emilion. We hebben hier een uitstekende rode Chileen in het glas, dik, krachtig, rijp en rijk. Confiture van zoete pruimen en vijgen, chocola, leer, tabak. Staat als een huis. Prima waar voor je geld.

Luis Felipe Edwards • Winemaker Selection Carmenère - Merlot • Colchagua Valley
🍇 carmenère, merlot

€ 4 tot € 5 EMTÉ

Veel smaak, veel rijp fruit – en nog een chocolaatje toe ook

Santa Rita is inmiddels een zeer vertrouwde naam; het is een huis dat al decennia hoogst betrouwbare wijnen maakt. Met zijn wijnen onder het label 120 was het huis een belangrijk voorbeeld voor veel succesvolle Chileense merkwijnen. De serie is genoemd naar de 120 vrijheidsstrijders die in 1814, tijdens de onafhankelijkheidsstrijd, hun toevlucht zochten in de kelders van het *estate*. De wijnen waren in eerste instantie gemaakt van één druivenras, maar nu is daar deze lekkere mengwijn, een assemblage van drie Bordeauxdruiven, aan toegevoegd. De gebruikte druivenrassen zijn in de negentiende eeuw alle drie uit Bordeaux gekomen. De stijl van de wijn is echter zo Chileens als maar kan, zwoeler en rijper dan het gros van de Bordeauxwijnen. Veel smaak, vol, vlezig, zwart fruit als pruimen en kersen, wat munt en vanille, een chocolaatje toe. Wijn die uitstekende waar voor zijn prijs biedt, zoals je dat in Chili regelmatig tegenkomt.

Santa Rita • Label 120 Cabernet Franc - Carmenère - Cabernet Sauvignon •
Central Valley 🍇 cabernet franc, carmenère, cabernet sauvignon

€ 6 tot € 7 Dirck III

Een afwisseling van zwart en rood fruit, met een goede grip van tannine

Een origineel concept van Chili's grootste producent Concha y Toro: een serie wijnen die telkens zijn samengesteld uit een trio druivenrassen. Op zich is dat een logische ontwikkeling. Want een aantal van 's werelds beste klassieke wijnen is gemaakt op basis van een mix van verschillende druiven. Bordeaux is daarvan zonder twijfel het bekendste en belangrijkste voorbeeld. De gedachte erachter is dat de verschillende druiven eigenschappen hebben die elkaar kunnen versterken: het geheel is meer dan de som der delen. Voor deze rode wijn zijn dat drie klassieke Bordeauxdruiven: merlot, cabernet sauvignon en carmenère, die worden gecombineerd tot een klassieke compositie. Merlot, met 60% de belangrijkste druif, zorgt voor de rondeur, carmenère voor lekker zwart fruit. Cabernet sauvignon voegt, zoals in de typische Bordeauxblend, ruggengraat en frisheid toe. De assemblage zit voortreffelijk in elkaar. Een afwisseling van zwart en rood fruit, mooi rijp, breed, kruidig, goede grip van tannine. Complimenten.

Trio • Reserva Merlot - Carmenère - Cabernet Sauvignon • Rapel Valley
merlot, carmenère, cabernet sauvignon

€ 7 tot € 8 Albert Heijn

Puur bosbessensap in de gedaante van een heerlijke rode wijn

Je kunt 'in de wijn werken' en toch redelijk ver af staan van de wijngaard. Dat was het geval bij de familie Viu. Deze familie houdt zich al sinds halverwege de negentiende eeuw bezig met de handel in wijn. Pas in 1966 kocht het bedrijf zijn eerste eigen wijngaarden, met als doel alleen daarvan wijnen te maken (dus zonder extra druiven elders in te kopen). Vandaag de dag heeft de familie bijna 400 hectare wijngaarden. Er worden wijnen gemaakt in verschillende stijlen. De serie Estate Collection bestaat uit wijnen van één druivenras, gemaakt om de karakteristieken van die specifieke druif het best tot hun recht te laten komen. Weinig hout en veel druif dus. Dat lukt jaar op jaar heel goed. Puur bosbessensap in de gedaante van een heerlijke rode wijn. Elegant en zacht, allesbehalve zwaar. Rode kersen, zwarte bessen (onvermijdelijk), pruimen, zwarte peper (al even onvermijdelijk, want Carmenère), buitengewoon aantrekkelijk.

Viu Manent • Estate Collection Carmenère • Colchagua Valley
🍇 carmenère

€ 7 tot € 8 Kwast Wijnkopers

Duitse wijn krijgt wel eens het verwijt hopeloos ingewikkeld te zijn. Dat klopt soms. Maar Duitsland is ook het wijnland van de oneindige nuances en fascinerende subtiliteiten.

De meer dan 100.000 hectaren wijngaard zijn verdeeld over ruim 2500 individuele wijngaarden, die elk een veelvoud aan wijnen en smaakvariaties voortbrengen.

Duitsland

Als er één klassiek wijnland ter wereld is waar uitzonderingen de regel vormen, dan is het wel Duitsland. Het land dankt zijn unieke positie aan zijn noordelijke ligging en relatief koele klimaat. Kenmerkend voor de Duitse wijnbouw is ook het gebruik van eigen druivenrassen, met voorop de nationale trots riesling.

Internationale rassen als chardonnay, sauvignon, cabernet of merlot hebben in Duitsland nauwelijks voet aan de grond gekregen. Hoewel het in de eerste plaats als een land van stille witte wijnen bekendstaat, produceert Duitsland een compleet gamma wijnen, inclusief rood, rosé en mousserend; overwegend droog van smaak. De meer dan 100.000 hectaren wijngaard zijn verdeeld over ruim 2500 individuele wijngaarden, die elk een veelvoud aan wijnen en smaakvariaties voortbrengen. Ze zijn hoofdzakelijk te vinden in de dalen van Rijn en Mosel (om de Duitse benaming maar aan te houden) en zijrivieren daarvan.

Grensgeval

Duitsland ligt aan de noordelijke wijnbouwgrens. Door het koele klimaat van het land is dat op het randje van waar je nog economisch rendabel wijn kunt maken, al lijkt de klimaatverandering met zijn wat hogere temperaturen een gunstige invloed te hebben. De Duitse wijnbouw is geconcentreerd op de minst koele plaatsen: in beschutte rivierdalen en in het zuidwesten van het land. Door de vorm van de rivierdalen en vanwege de noodzaak om optimaal van zonlicht te profiteren, liggen veel wijngaarden op naar het zuiden gerichte hellingen (het Duitse woord voor wijngaard is dan ook *Weinberg*). Het zijn hel-

Klooster Eberbach in de Rheingau

lingen die vaak ijzingwekkend steil zijn en waarop mechanisatie nauwelijks mogelijk is. Goede Duitse wijn kan vanwege al die handarbeid dan ook nooit spotgoedkoop zijn.

Rijke geschiedenis

Samen met Frankrijk kan Duitsland bogen op de historisch meest ontwikkelde wijncultuur van heel Europa. Het begin daarvan is te danken aan de Romeinen, die Trier aan de Mosel een poosje als keizerlijke residentie van hun westelijke rijk hadden. In de middeleeuwen waren het kloosters als Eberbach in de Rheingau – decor voor de opname van de film *De naam van de roos* – die de wijnbouw tot grote bloei brachten en riesling gingen aanplanten. Ook tal van bisschoppen en de kerk in het algemeen hebben hun steentje bijgedragen. Bovendien was er destijds sprake van een relatief warme klimaatperiode.

Romeins wijnschip

Goede transportmogelijkheden via de Rijn zorgden voor een florerende export. Zie de roemers met Duitse wijn op al die stillevens uit de Nederlandse Gouden Eeuw. Bij een schrijver als Goethe vind je tal van waarderende verwijzingen naar de Duitse wijnen uit zijn tijd. Die wijnen bereikten het toppunt van hun internationale roem rond 1900. De toppers werden toen verhandeld voor veel hogere prijzen dan de premier cru's uit Bordeaux.

Van paria tot paradepaardje

Na de Eerste Wereldoorlog begon een periode van langdurig verval. Een groot deel van de Europese adel – een belangrijke doelgroep voor dure wijnen – was ineens weggevallen en een zware economische crisis maakte de problemen nog groter. De zwartste periode uit de Duitse geschiedenis, die tussen 1933 en 1945, deed de rest. In de jaren na de oorlog kwam de nadruk op goedkope massaproductie van zoete wijnen te liggen. Treurigheid alom, met als gevolg een rampzalig imago.

De ommekeer begon in de jaren tachtig, toen Duitse producenten zich begonnen te realiseren dat aan tafel juist droge wijnen gevraagd zijn. Met de komst van een jonge generatie ambitieuze, goed opgeleide en bereisde wijnmakers is het roer definitief omgegaan. Droog is regel, zoet uitzondering. Exotische kruisingen zijn uit, klassieke rassen weer in. En Duitse wijnen zijn de lievelingen van de hedendaagse gastronomie.

Elegante wijnen

Wat maakt een wijn eigenlijk typisch Duits? In de eerste plaats zuren. Die hebben natuurlijk alles te maken met het koele klimaat. In dat klimaat rijpen druiven langzaam en laat, en behouden ze hun zuren en aroma's. Om ervoor te zorgen dat die zuren in de smaak niet te dominant

Zonnewijzer aan de Mosel

worden, laat men meestal een paar gram suiker in de wijn zitten (restsuiker). In Duitsland mag een droge wijn maximaal 9 gram restsuiker per liter hebben. Die hoeveelheid ligt in relatief warme gebieden overigens doorgaans een stuk lager. Wijnen van de koele Mosel bijvoorbeeld hebben, gezien hun hoge zuurgraad, wat meer nodig dan wijnen uit de zuidelijke Pfalz of Baden. Waar het om draait is balans. Twee andere typerende eigenschappen zijn mineraliteit en een, vergeleken met andere landen, laag alcoholpercentage.

De meeste Duitse witte wijnen, en zeker Rieslings, worden dan ook niet beter van een opvoeding op nieuwe houten vaten en de daaruit voortkomende vanillearoma's. Vergisting en opvoeding in stalen tanks of traditionele grote fusten waarvan het hout geen aroma's meer afgeeft, zorgen voor wijnen die naturel zijn. Puur, levendig, zuiver en lekker verteerbaar.

Duitsland produceert ook een eigen type mousserende wijn, onder de verzamelnaam sekt. Die vlag dekt een bonte lading van heel gewone tot superieure bubbels. De meest interessante is die van de boer, *Winzersekt*.

Topdruif: riesling

De naam riesling is al een paar keer gevallen. Het is Duitslands meest aristocrati-

Riesling rijpt grandioos op fles

sche druif, en met 22% van de totale aanplant ook de meest aangeplante. Al in de vijftiende eeuw vermeld, pas in de negentiende eeuw op echt grote schaal aangeplant, in de twintigste veelvuldig vervangen omdat boeren hem te lastig vonden en inmiddels weer erkend als onbetwiste nummer één voor kwaliteit. Riesling is een veeleisende druif, die alleen op de allerbeste locaties goed presteert en die fouten genadeloos afstraft. Een hypergevoelige druif ook: als geen ander weerspiegelt hij nuances in terroir (het samenspel van locatie van de wijngaard, klimaat, weer, bodemtype en druivenras) in wijnen die uiteenlopen van strakdroog tot weelderig zoet. Met als handelsmerken ultieme aromatische finesse, spanning en een opmerkelijke houdbaarheid.

Is het de mooiste witte druif ter wereld? Hij is in ieder geval groots, zeker in gebieden als Mosel, Pfalz, Rheingau, Nahe, Rheinhessen en Franken.

Succesvol wit

Op twee staat müller-thurgau, de oudste, al in de negentiende eeuw ontwikkelde en meest succesvolle kruising van Duitsland. Hij wordt ook wel rivaner genoemd. Een van de ouders was riesling, de andere de

Proeven zonder afspraak

Duitsland is een bijzonder laagdrempelig wijnland. Vrijwel alle producenten verkopen direct aan particulieren, die daarvoor naar het wijngoed toe komen. Proeven zonder afspraak is dan ook geen enkel probleem. De vele bezoekers hebben bovendien gezorgd voor een toeristische infrastructuur met een ruime keuze aan verblijfsmogelijkheden, zoals in de Mosel. Streken als de Pfalz en Baden hebben tal van zeer goede restaurants, terwijl de Ahr terecht te boek staat als wandelparadijs.

Franse madeleine royale. Het is een makkelijke, veel producerende, fruitige allemansvriend. Ondanks een forse afname in aanplant is dit een van de weinige kruisingen die nog steeds meetellen. Hij levert vooral in Franken goede wijnen op.

Dan is er silvaner. Die werd in de zeventiende eeuw voor het eerst geteeld en was

Steile wijngaarden langs de Mosel

Goed rot

Een Duitse specialiteit zijn edelzoete wijnen, met de nadruk op 'edel', want aan zulke wijnen komen geen keldertrucjes te pas. Ze hebben een smaakdimensie die het werk van de natuur is. Druiven die laat en overrijp (en dus zoet) geplukt worden, leveren Spätlese op (zie p. 117). Bij bepaalde omstandigheden in de wijngaard kunnen druiven worden aangetast door botrytis. Dat is een vorm van rot, maar een gunstige vorm, die een heel aantrekkelijke, complexe zoete smaak kan opleveren. Daarom noemt men botrytis vaak 'edele rotting'. Sommige Auslesewijnen zijn gemaakt van druiven die gedeeltelijk aangetast zijn, terwijl de druiven voor Beeren- en Trockenbeerenauslese in zeer hoge mate door edele rotting zijn verschrompeld en ingedroogd, en daardoor een enorme concentratie aan suikers en zuren hebben gekregen. Bij druiven voor Eiswein wil men die botrytis juist vermijden, om ze net zo lang in goede conditie aan de druivenstok te laten hangen tot ze door stevige nachtvorst bevriezen. De pluk vindt soms pas in januari plaats, maar het oogstjaar is dan toch dat van de voorafgaande maand december.

ooit, zoals riesling nu, de meest aangeplante druif in Duitsland. Hij heeft niet de expressiviteit en spanning van riesling, maar door z'n wat neutralere karakter is de wijn ervan wel heel breed inzetbaar. Bij asperges bijvoorbeeld. Een specialiteit van Franken, waar ze frisse, sappige Silvaner maken, maar vooral aangeplant in Rheinhessen.

Succesvolle witte nieuwkomers zijn grauer en weisser burgunder, alias pinot gris en pinot blanc. Ze hebben een stuk minder zuren dan riesling en kunnen houtopvoeding ondergaan. Vooral in Baden worden ze gekoesterd.

Rood wint terrein

Wie had twintig jaar geleden durven voorspellen dat Duitsland ooit een serieuze producent van rode wijnen zou worden? Toch is dat wel gebeurd. Rode wijnen maken nu zelfs een derde van de totale productie uit. Wat riesling betekent voor wit, is spätburgunder voor rood. In de rest van de wereld staat deze druif beter bekend als pinot noir. De beste wijnen ervan kunnen zich meten met die uit de Bourgogne. Je vindt ze vooral in Baden, Ahr en Pfalz.

Daarnaast wordt er in Duitsland rode wijn gemaakt van blauwe druiven als dornfel-

Een tros rieslingdruiven

der en portugieser, maar de aanplant daarvan is maar heel klein.

Volgt u het nog?

Nu even een stukje taaie theorie. Want Duitsland heeft een gecompliceerd systeem voor herkomstbenamingen. In feite bestaan er zelfs een paar systemen naast elkaar. Het officiële model gaat uit van *Qualitätswein* en *Prädikatswein* (*Tafelwein* en *Landwein* spelen nauwelijks een rol). Die laatste categorie omvat wijnen met de predicaten Kabinett, Spätlese, Auslese, Beerenauslese, Eiswein en Trockenbeerenauslese. Ze worden toegekend op basis van het suikergehalte van de druiven: het

Rotenfels aan de Nahe

mostgewicht. Hoe hoger het mostgewicht, hoe hoger het predicaat en hoe zoeter de smaak van de wijn.

Het rare van de uit 1971 daterende Duitse wijnwet is dat die uitgaat van zoete wijnen, met droge als uitzondering. Een unieke situatie in de hele wereld! Wanneer een wijn droog of halfdroog is, moet dat officieel aangegeven worden met de termen *trocken* en *halbtrocken* of *feinherb*. De praktijk van onze tijd is echter dat Duitse wijnen in overgrote meerderheid droog of halfdroog zijn en niet meer zoet, zoals enkele tientallen jaren geleden.

En er is nog een probleem. Waar komen die wijnen precies vandaan? Wie wil, kan op het etiket de naam van een gemeente zetten, plus eventueel de naam van een individuele wijngaard (*Einzellage*), of de overkoepelende naam van een groep wijngaarden (*Grosslage*). Ook mogelijk is de naam van een heel district (*Bereich*). Voor wijnliefhebbers valt dat allemaal lastig uit elkaar te houden. Bereich Nierstein, Grosslage Niersteiner Gutes Domtal, gemeentewijn Niersteiner, individuele wijngaard Niersteiner Hipping: wat is in vredesnaam het verschil? En dan te bedenken dat er ook nog eens zo'n 2500 individuele wijngaarden zijn. Help! Is het druivenras dan de enige begrijpelijke informatie op het Duitse etiket?

Klassieke eenvoud

Maar nu het goede nieuws. Veel Duitse etiketten zijn een stuk eenvoudiger geworden. Zonder al die predicaten en ondoorgrondelijke namen. Neem bijvoorbeeld de Classicwijnen. Dat zijn wijnen van goede basiskwaliteit, die per definitie droog smaken en op het etiket alleen de naam van het druivenras hebben, de naam van het herkomstgebied (bijvoorbeeld Rheinhessen) en die van de producent. Zo kan het dus ook.

Een trend bij andere wijnen is om alleen nog namen van echt goede wijngaarden te vermelden. Ook om predicaten maakt men zich niet meer druk, behalve wanneer het om bijzondere, edelzoete wijnen gaat

(zie kader). In andere gevallen houdt men het vaak simpelweg op Qualitätswein, punt. Een verademing. Net als de moderne vormgeving. Etiketten met oubollige plaatjes en gotische belettering zijn grotendeels verleden tijd. Ook in dat opzicht zijn Duitse wijnboeren modern geworden. Eind goed, al goed.

Duitsland kort

- Aanplant: 102.000 ha
- Aantal gebieden (*Anbaugebiete*): 13
- Aantal wijngaarden (*Einzellagen*): ruim 2500
- Gebieden met meer dan 10.000 ha: Rheinhessen, Pfalz, Baden, Württemberg
- Aantal producenten: 20.000
- Aandeel witte wijn: 65%
- Aandeel rode wijn: 35%
- Belangrijkste witte druivenrassen: riesling, müller-thurgau, silvaner, grauer burgunder, weisser burgunder
- Belangrijkste blauwe druivenrassen: spätburgunder, dornfelder, portugieser

Schoon, zuiver en typisch Pinot Blanc

De wijnbouwgrens schuift door de klimaatopwarming heel geleidelijk naar het noorden. Zo kunnen in Duitsland klassieke druivenrassen uit de Elzas tegenwoordig met veel succes worden aangeplant. En de druiven rijpen hier probleemloos, zodat er prima wijnen van kunnen worden gemaakt. Duitsland wordt dan ook een steeds geduchtere concurrent van de Elzas. Bovendien mogen de Duitsers, dankzij de Europese wijnwetgeving, hun wijnen van weissburgunder verkopen onder de commercieel veel interessantere naam Pinot Blanc. Deinhards Pinot Blanc is een wijn in een commerciële stijl. De aanduiding *dry* geeft aan dat de wijn droog is. Hij wordt echter wel afgerond door een beetje restsuiker. Hij is zacht, met wit fruit als perzik en peer, en heeft dus dat kleine zoetje. Heel technisch, maar wel schoon en zuiver. En typisch Pinot Blanc.

Deinhard • Pinot Blanc Dry • Pfalz
🍇 pinot blanc

€ 5 tot € 6   Attent, Coop, CoopCompact, Spar, SuperCoop

Fris en gezond als een voorjaarsbries

Waarom doen Duitse Rieslings het tegenwoordig zo goed? Omdat ze fruitig, droog en opwekkend tegelijk zijn. Heiner Sauer bewijst dat in de Pfalz. Heiner Sauer (1957) komt uit een oud wijnmakersgeslacht. Hij kwam er al op zijn zeventiende alleen voor te staan, toen zijn vader overleed. Op dat moment kon hij nog niet zelf aan de slag op het familiedomein. Dat kwam pas in 1987, na een serie stages bij andere wijngoederen. Hij heeft uit ideologische overwegingen gekozen voor biologische wijnbouw. Hij streeft ernaar zijn wijnen zo puur en fris mogelijk te maken. Daarvoor gebruikt hij alleen gezonde druiven, dus ook druiven die aangetast zijn door edele rotting verdwijnen uit de selectie. Zo krijg je heerlijk frisse wijnen. Zijn Gleisweiler Hölle is eerder hemels dan hels. Als een voorjaarsbries. Fris, sappig, met rijpe groene appel, vlierbloesem en goede zuren. Zo zuiver als wat.

Heiner Sauer • Gleisweiler Hölle Riesling Kabinett trocken • Pfalz
🍇 riesling

€ 9 tot € 10   Biowijnclub.nl, Vinoblesse (Biologisch)

Rijpe, volle eetwijn voor vleeseters én vegetariërs

Deze wijn komt uit het zuidelijkste wijngebied van Duitsland, met een relatief warm klimaat. Kaiserstühler Winzergenossenschaft Ihringen is een van de grootste en oudste coöperaties in het zuiden van Baden. Er wordt gewerkt met druiven van 360 hectare wijngaarden. Daarnaast zijn er 700 leden. Naar de mening van de onbetwiste Duitslandexpert in het proefteam een 'erg Duitse' interpretatie van pinot noir, in Duitsland spätburgunder genoemd. Door de warme omstandigheden in de wijngaard komt vooral het zwarte fruit van pinot noir naar voren: zoete zwarte kersen. Maar ook specerijen zoals die in kruidkoek en zelfs wat steranijs. Advies: enigszins gekoeld serveren, om het rijpe fruit iets frisser te maken. Dit is een echte eetwijn. Denk aan pasta al ragù, konijn met pruimen, hert of wilde eend. Vanzelfsprekend is deze wijn ook geschikt voor vegetariërs. Die kunnen 'm schenken bij gevulde portobello's uit de oven, geserveerd met een bietensalade.

Kaiserstühler Winzergenossenschaft Ihringen • Spätburgunder Trocken Premiumlinie • Baden-Kaiserstuhl ⚜ spätburgunder

Tintelende Riesling zoals ze 'm alleen aan de Mosel kunnen maken

Riesling uit de Mosel blijft een bijzonder type wijn, vanwege een uitzonderlijke lichtvoetigheid en verteerbaarheid. Door de noordelijke ligging van de streek houdt de rieslingdruif hier duidelijke zuren, die de wijnen een bijzondere speelsheid geven. Wel is er ook altijd een beetje restsuiker in de wijn aanwezig, omdat hij anders te streng zou overkomen. *Trocken* wil zeggen dat de smaak droog is, ondanks die kleine hoeveelheid restzoet. De kunst bij dit soort wijnen is het vinden van de juiste balans. En die is er. Laat je niet misleiden door het traditionele Duitse etiket. In de fles zit een tintelende Riesling zoals die alleen aan de Mosel gemaakt kan worden, op steile hellingen met leisteenbodems, in een unieke omgeving. Expressieve geur van jonge Riesling, ragfijne en toch aangenaam volle smaak van perzik, citrusfruit en mineralen. Rijpe zuren zorgen ervoor dat de wijn niet té trocken smaakt, maar mooi mild van karakter blijft.

Meulenhof • Erdener Treppchen Riesling Spätlese trocken • Mosel
riesling

€ 9 tot € 10   Henri Bloem

Duitse Pinot Blanc in de categorie yummy

Behalve de alomtegenwoordige en zeer succesvolle riesling zien we meer en meer andere druivenrassen in Duitsland opduiken. Het zijn vaak druiven die we kennen van de andere kant van de Rijn, uit de Franse wijnstreek Elzas. En er zijn dan ook, heel slim, producenten die bewust de Franse naam van deze druiven gebruiken, vanwege de herkenbaarheid. Dus in het geval van deze wijn geen Weissburgunder, maar Pinot Blanc. Een succes, zeker voor zijn prijs. Met een naam als Rebgarten – poëtisch Duits voor 'wijngaard' – moet je wel een meer dan fatsoenlijke wijn uitbrengen. En ja hoor, dit is weer zo'n Duitse Pinot Blanc in de categorie *yummy*. Rond en mondvullend, opmerkelijk intens, met een fruitig zoetje, dat door de goede zuurgraad geenszins stoort. Door een Nederlandse topsommelier aanbevolen bij lichte vissoorten met waterkers. Het is maar een weet.

Rebgarten • Pinot Blanc • Nahe
🍇 pinot blanc

€ 4 tot € 5   Jan Linders

Lekker koud drinken bij een bord vol mosselen

Bij de Mosel denk je al snel aan langzaam voortkabbelende cruises voor pensionado's. Toch is er voor de actievere vakantieganger ook wel wat te beleven. Er zijn legio wandelroutes en fietstochten die, heel prettig, vaak ook nog langs de *Weingüter* voeren. Voor de meeste Nederlanders is het ook niet te ver, zodat het gebied zich goed leent voor een lang weekend weg. Bijkomend voordeel is dat de lokale bevolking uitermate vriendelijk is en de prijzen erg gunstig zijn. Pinot Blanc uit de Mosel wordt zo zachtjesaan een geduchte concurrent voor die uit de Elzas. Hij staat weliswaar in de schaduw van Riesling, maar smaakt in al zijn eenvoud heel aantrekkelijk. Meloen, een beetje witte perzik, klein zoetje, zacht en makkelijk. Commercieel, maar voor het geld verrassend. Lekker koud drinken, bijvoorbeeld bij mosselen of een couscoussalade met feta en wat gedroogde abrikozen.

St. Michael • Pinot Blanc • Mosel
🍇 pinot blanc

€ 4 tot € 5   C1000, Jumbo

Rijp en rond, maar wel mooi droog

Weingut Raddeck uit Nierstein staat op de kaart van veel sterrenrestaurants. Een goed teken. Maar Raddeck is dan ook wat de Duitsers een *Aufsteiger* noemen. Om een idee te geven hoe groot de inzet van dit bedrijf is: voor de pluk in 2011 trok Raddeck vijf weken uit om verschillende druiven telkens op het perfecte moment van rijpheid te oogsten. In de wijngaard wordt zorgvuldig gewerkt, volgens de principes van de biologische wijnbouw. Ook in de kelder draait alles om precisie. Deze Silvaner demonstreert dat ten volle. Aardig trouwens, dat er in Rheinhessen van silvaner meer aangeplant staat dan in Franken, het gebied dat altijd met deze druif geassocieerd wordt. Silvaner weet een heerlijke kruidigheid te combineren met kracht en fijne zuren. Voorjaarsbloemen in de geur, breed, sappig, met grapefruit, rijp en rond maar wel mooi droog. Zacht met een opwekkende frisheid na.

Weingut Raddeck • Silvaner trocken • Rheinhessen
silvaner

€ 9 tot € 10   Vindict (Biologisch)

Overtuigende wijn, rijp, kruidig en spannend

Spannende wijn van Weingut Storr in Alzey, hartje Rheinhessen. De familie zit al sinds de zestiende eeuw in de streek, eerst als akkerbouwer en sinds twee generaties als wijnboer. Het verleden van de akkerbouw zie je overal terugkomen. Zo zijn er in de voormalige hooischuur tegenwoordig hotelkamers: het Winzer Hotel Himmelacker, dat de familie ook uitbaat. In Rheinhessen wordt de druif silvaner weer op waarde geschat. Deze wijn is een Silvaner volgens het concept Classic, dus Duits droog van smaak. Een paar gram restsuiker mag. Overtuigende wijn, rijp, kruidig en spannend. Een miniem zoetje, exotische *touch*, perzik en limoen, zonder meer goed. Een zoveelste bewijs dat Rheinhessen sterk bezig is. En dat Silvaner niet in de schaduw van Riesling hoeft te staan. Serveer 'm bij salades met (gerookte) kip, salade van gerookte makreel met bosuitjes en appel of bij een op de huid gebakken zeebaars met wat venkel en citroen.

Weingut Storr • Silvaner Classic • Rheinhessen
🍇 silvaner

€ 7 tot € 8   LekkerSapje

Frankrijk was, is en blijft de klassieke referentie voor de rest van de wijnwereld. Het heeft voor negen van de tien klassieke wijnen de norm gezet. Zozeer, dat producenten in de Nieuwe Wereld graag proberen om Franse wijnen te 'verslaan' in blinde proeverijen. Maar de tijd dat Frankrijk zo ongeveer het monopolie op goede wijn had, is voorbij. Want de concurrentie is er intussen met onvoorstelbaar grote sprongen op vooruit-gegaan. Gelukkig is dat een stimulans voor de Fransen om een tandje bij te schakelen.

Frankrijk

Frankrijk is niet meer de onaantastbare supermacht van weleer. Niet dat Franse wijnen slechter geworden zijn. Integendeel. Frankrijk werkt er hard aan om (ook) wijnen van deze tijd te maken. En Frankrijk heeft als wijnland altijd nog een potentieel, historie, diversiteit en ervaring die uniek zijn in de wereld.

Franse druiven hebben de wereld veroverd. Wie met cabernet en merlot werkt, heeft Bordeaux als voorbeeld. Wie chardonnay of pinot noir gebruikt, spiegelt zich aan de Bourgogne. Wijnen van syrah en viognier moeten zich kunnen meten met die uit de Noord-Rhône.

Ook de Franse keldertechniek is wereldwijd maatgevend geweest. Alle mousserende wijn is bijvoorbeeld schatplichtig aan de Champagne. De Fransen hebben ook het kleine eikenhouten vat, de *barrique* of *pièce*, ingevoerd voor de vergisting en/of opvoeding van wijnen (zie ook verderop). En niet te vergeten hebben ze de magische concepten *terroir* en *cru* bedacht. Nog meer grensverleggends: Frankrijk heeft als eerste wijnland een wettelijk systeem van herkomstbenamingen ingevoerd, de *appellation d'origine contrôlée*.

Tot slot: al die fraaie wijnen komen het meest tot hun recht aan tafel. En waar is de haute cuisine ontstaan? Inderdaad, *en France*. Het is de Fransen dus gegund om een beetje chauvinistisch te zijn.

Hoe het begon

De Franse wijnbouw kent een zeer lange geschiedenis, die teruggaat tot de Griekse kolonie Massalia (Marseille). Onder impuls van de Romeinen werd de wijnstok eerst in het zuiden langs de Middellandse Zee aangeplant. Narbo (Narbonne, dat toen nog aan zee lag) werd een grote wijnhaven voor uitvoer naar Rome. Vanuit wat nu de Languedoc is, bereikte de wijnstok ook Aquitaine en de omgeving van Burdigala (Bordeaux), en via het Rhônedal Lugdunum (Lyon). Uiteindelijk zou heel Frankrijk, voor zover klimatologisch geschikt, bezaaid raken met wijngaarden.

Tijdens de vroege middeleeuwen hielden kloosters de wijnbouw in stand; in de latere middeleeuwen waren het vooral de cisterciënzers en benedictijnen die de wijn op een hoger kwaliteitsplan wisten te brengen. Evenals andere kerkelijke instanties profiteerden ze van grondschenkingen door burgers die zo hun zielenheil veilig probeerden te stellen. In een later stadium zou ook de adel als traditioneel grondbezittende klasse een steeds belangrijkere rol gaan spelen. Nog later werden dat leden van de zeer gegoede burgerij, zoals de schrijver Voltaire en leden van het Parlement de Bordeaux.

Een belangrijke cesuur in de Franse wijnbouwgeschiedenis vond plaats onder het bewind van Napoleon. De Keizer, zelf liefhebber van met water verdunde (!)

Wijngaarden rond een middeleeuws dorp in de Beaujolais

rode Bourgogne uit Chambertin, achtte het raadzaam al het kerkelijke bezit per decreet te onteigenen en openbaar te koop aan te bieden – een soort privatisering avant la lettre.

De negentiende eeuw betekende over het algemeen een enorme bloeitijd voor de Franse wijnbranche. In technisch en wetenschappelijk opzicht werd onder andere door geleerden als Pasteur de nodige vooruitgang geboekt en dankzij de aanleg van spoorwegen werden tal van gebieden ontsloten.

Vreemde wortels

En toen ging het bijna faliekant mis. Frankrijk kreeg als eerste Europese wijnland (de rest volgde al snel) te maken met een opeenvolging van plantenziektes die uit Amerika waren overgekomen. Schimmels als oïdium en peronospera, en het luisje phylloxera. Phylloxera vastatrix heet hij voluit, deze hongerige druifluis die het voorzien heeft op de wortels van de druivenstok. Althans, de wortels van Europese druivenstokken, want autochtone Amerikaanse druivenvariëteiten zijn er immuun voor.

Gebied na gebied werd door de phylloxera getroffen; niet alleen in Frank-

Oude reclameposter

rijk, maar overal in Europa. Complete wijnstreken zijn er geheel of bijna geheel door verdwenen. Nadat van alles was geprobeerd, bleek alleen het gebruik van immune Amerikaanse wortelstokken een goede remedie. Het betekende dat de Europese rassen, die tot dan toe direct in de aarde geplant waren, op die overzeese onderstokken geënt moesten worden. Een ander alternatief was het planten van zogeheten hybriden, kruisingen tussen Europese en Amerikaanse rassen. Jammer genoeg leverden die echter abominabel smakende wijnen op.

Kenmerkende kiezelbodem in Châteauneuf-du-Pape

Grote veranderingen

Ook al werden de drie plagen uiteindelijk overwonnen door de ontwikkeling van bestrijdingsmiddelen – voor het eerst in gebruik na tig eeuwen wijnbouw zonder – en door het gebruik van die Amerikaanse onderstokken, het leed was daarmee nog niet geleden. De economische crisis van de jaren dertig had ook in Frankrijk rampzalige gevolgen. Zelfs voor grand cru's in Bordeaux, die voor een appel en een ei te koop waren. In diezelfde periode werden de eerste appellations van kracht, om paal en perk te stellen aan gerommel met de herkomst van wijnen.

Na de Tweede Wereldoorlog kreeg de wijnindustrie te maken met het verlies van de Franse kolonie Algerije, tot dan toe leverancier van grote volumes. Veel ex-kolonisten begonnen opnieuw in Frankrijk zelf.

In de tweede helft van de twintigste eeuw deed de techniek definitief zijn intrede in het Franse wijn maken. Van roestvrijstalen tanks, tractors en plukmachines tot bestrijdingsmiddelen aan toe. Die laatste hebben hun 'beste' tijd gelukkig al weer achter zich, want ook in Frankrijk heeft de *agriculture biologique*, het groene boeren, opgang gemaakt. Evenals het besef dat minder beter is.

Nog iets. Franse wijngaarden hebben de afgelopen dertig jaar grote veranderingen ondergaan in aanplant. Sommige druivenrassen zijn uit de gratie geraakt, andere trendy geworden. Zo conservatief is Frankrijk dus niet als wijnland.

Terroir

Het Franse succes is in belangrijke mate gebaseerd op terroir. Deze term staat voor het geheel aan natuurlijke factoren die de groei en bloei van de wijnstok bepalen. Het gaat dus veel verder dan alleen de bodem: terroir heeft ook betrekking op het klimaat van zowel de streek als de wijngaard en de ligging van die laatste. Over bodems in het algemeen valt een belangrijk gegeven vast te stellen: in veel Franse wijngebieden bevat de bodem kalk en dat is een prima voorwaarde voor wijnbouw.

Het terroir is bepalend voor de keuze van druivenrassen die de eigenschappen van de wijngaard het best vertalen in de wijn. Die keuze van druiven is in appellations aan voorschriften gebonden. Zomaar naar eigen inzicht wat aanplanten, zoals in de Nieuwe Wereld, is niet toegestaan. De

Lente in de wijngaard

combinatie van terroir, druivenrassen en de toepassing van 'traditionele' technieken kan wijnen opleveren met een uniek karakter: terroirwijnen. Een nadeel van deze manier van werken is dat hij experimenteren nogal lastig maakt.

Franse appellations

In 1935 werd de wetgeving op de herkomstbenamingen van kracht. Aan de top van de piramide staat, na het van kracht worden van recente Europese bepalingen, de *appellation d'origine protégée* (AOP). Hieronder valt ook de vertrouwdere *appellation d'origine contrôlée* (AOC). Beide termen worden naast elkaar gebruikt.

Een AOC kan zowel op een heel gebied van duizenden hectaren slaan als op een minuscule wijngaard.

De vroegere *vin de pays,* waaraan minder strikte eisen gesteld worden dan aan AOP/AOC, heet tegenwoordig IGP, of *indication géographique protégée.* De simpele *vins de table* van weleer hebben ook een nieuwe naam: *vins de France.*

Cépages

Landen als Italië en Portugal hebben misschien meer druivenrassen binnen hun grenzen, Frankrijk is het moederland van de meeste klassieke *cépages* die er internationaal toe doen. Spreken van 'internationale rassen' is in feite spreken van Franse rassen. In andere, vooral nieuwe wijnlanden staan de namen van die Franse druiven echter prominent op het etiket en leek terroir er nauwelijks toe te doen. De Franse visie was lange tijd andersom: je vermeldde alleen de herkomst, niet de druif of druiven. Gebieden als Bordeaux, de Languedoc, de zuidelijke Rhône en de Champagne hebben bovendien de *assem-*

Wijnwinkel in Parijs

Bourgogne Grand Cru

blage tot kunst verheven: het mengen van wijn van twee of meer rassen tot een geheel dat beter is dan de optelsom van de afzonderlijke componenten. De wijnen van één druivenras uit de Nieuwe Wereld (*varietals* of cépagewijnen) bleken het grote publiek echter aan te spreken, omdat ze makkelijker te begrijpen zijn dan al die gebiedsnamen.

Ook Frankrijk heeft zich nu vol overgave en met succes op de productie van cépagewijnen gestort. Dat gebeurt hoofdzakelijk in de Languedoc. Ze komen op de markt als IGP Pays d'Oc. Ook zie je op etiket-

ten van appellationwijnen steeds vaker de naam van een druivenras staan.

Witte druiven

Wat heeft Frankrijk eigenlijk aan druiven in huis? Hieronder een overzicht van de belangrijkste druiven voor witte wijn.

Chardonnay – witte wereldster met wortels in de Bourgogne. Geliefd bij producenten om z'n niet al te uitgesproken smaakprofiel en flexibiliteit in wijngaard en kelder. Ook aangeplant in de Champagne, de Jura en de Languedoc.

Chardonnay

Chenin blanc met botrytis

Chenin blanc – vooral te vinden in het centrale deel van de Loire en daar goed voor wijnen die variëren van strakdroog tot weelderig edelzoet en van stil tot mousserend. Ook te vinden op diverse plaatsen in het grote gebied *le Sud-Ouest* (het Zuidwesten).

Colombard – druif uit de Gascogne in het zuidwesten van Frankrijk, voor het distilleren van basiswijn voor armagnac. Wordt met behulp van moderne keldertechniek ook verwerkt tot lichtvoetige, frisse witte wijn.

Gewürztraminer – geen Franse druif, maar vermoedelijk afkomstig uit Zuid-Tirol. In Frankrijk alleen toegestaan in de Elzas. Heel aromatisch, exotisch en weelderig van karakter. In het Frans zonder umlaut gespeld.

Grenache blanc – een wat 'stille' speler in het hele zuiden van Frankrijk, waar hij meestal onderdeel is van blends, van de Roussillon tot de zuidelijke Rhône. Geeft zachte, vlezige wijnen.

Melon de Bourgogne – heeft niets met meloenen of de Bourgogne te maken, maar wordt gebruikt voor Muscadet uit de omgeving van Nantes.

Muscat – verzamelnaam voor diverse varianten van de uiterst aromatische muskaatdruif, zoals de verfijnde muscat à petits grains en de wat mindere muscat

Riesling

Sauvignon blanc

d'alexandrie. In gebieden aan de Middellandse Zee tot voor kort alleen gebruikt voor versterkte zoete wijnen (bijvoorbeeld Muscat de Rivesaltes), maar nu in toenemende mate ook in droge wijn. De Elzasser versie is eveneens droog.

Pinot blanc – druif voor vrij neutrale, toegankelijke wijnen in de Elzas.

Pinot gris – de stevigere en exotischer geurende versie van pinot blanc, met een roze schil. Aangeplant in de Elzas, waar hij vaak wijn met een zoetje geeft.

Riesling – Duitse druif, alleen toegestaan in de Elzas. Geeft daar aristocratische, minerale wijnen.

Roussanne – typische Rhônedruif. Aan-

geplant in het noorden van die streek, al dan niet in combinatie met marsanne. Verleidelijk aroma. Ook te vinden in de Languedoc.

Rolle – aromatische druif met goede zuren voor witte (assemblage)wijnen uit de Provence, Roussillon, Languedoc en Corsica. Identiek aan Italiaanse vermentino.

Sauvignon blanc – met chardonnay de populairste witte druif. Qua smaak nerveus, aromatisch en strakdroog. Op zijn best langs de Loire (Touraine, Sancerre) en in Bordeaux en omgeving, waar hij regelmatig ondersteuning van sémillon krijgt. Ook aangeplant in de Languedoc.

Sémillon – historisch belangrijke druif

voor witte Bordeaux, met name de versie met edele rotting uit Sauternes (zie voor uitleg edele rotting het hoofdstuk Duitsland). Biedt minder aromatisch spektakel dan blendpartner sauvignon, maar wint het daarvan op structuur en houdbaarheid.

Viognier – ooit beperkt aangeplant in de Noord-Rhône, daar bijna verdwenen en nu bezig aan een wereldwijde opmars. Geeft wijn met lage zuren en een ietwat exotisch aroma. Beroemd uit de streek Condrieu, betaalbaar als hij uit de Languedoc komt.

Blauwe druiven

Een overzicht van de belangrijkste druiven voor rode wijn en rosé.

Cabernet franc – oude druif en 'vader' van heel wat andere rassen. Moet goed rijp worden om geen paprikasmaakje te hebben. Voelt zich als solist thuis aan de Loire en speelt in Bordeaux een belangrijke rol in assemblages.

Cabernet sauvignon – de aristocraat onder de blauwe druiven. Kan bij onrijpheid plantaardig aroma en strenge tannine hebben, maar is bij rijpheid herkenbaar aan de geur van zwarte bessen. Fundament van grote wijnen uit Médoc en Graves. Veel

Cabernet sauvignon

Grenache

aangeplant in het Zuidwesten en, voor cépagewijn, in de Languedoc.

Carignan – mediterraan ras met Spaanse wortels. Berucht om zijn tannine, dus vrijwel altijd gemengd met andere zuidelijke rassen.

Cinsault – oud ras met nogal wat overeenkomsten met grenache. Nog altijd vrij veel aangeplant in de Languedoc en zuidelijke Rhône, tegenwoordig vooral voor rosé.

Gamay – fruit en zuren kenmerken de bekende druif van de Beaujolais, die verder ook in de Loire voorkomt.

Grenache noir – Rhônedruif; de zuidelijke tegenhanger van syrah. Oorspronkelijk afkomstig uit Spanje. In Frankrijk langs de hele Middellandse Zeekust aangeplant. Geeft volle, maar oxidatiegevoelige wijnen.

Malbec – stoere druif uit het Zuidwesten, met name Cahors. Moet goed rijp zijn en getemd worden. Ook wel cot of auxerrois genoemd.

Merlot – uiterst populair ras, meest aangeplant in Bordeaux. Handelsmerk: soepelheid. Vormt een perfect duo met cabernet. Verbreid over het hele Zuidwesten en heel succesvol in de Languedoc.

Mourvèdre – mediterraan ras van Spaanse origine. Heeft veel zon nodig en geeft dan wijnen met volheid en ruggengraat. Gebruikt voor blends in de Provence (Bandol) en overige gebieden in het zuiden.

Pinot noir

Malbec

Domaines, châteaux & caves

De meeste particuliere Franse wijngoederen noemen zich *domaines*. Het beroemdst van allemaal is het Domaine de la Romanée-Conti in de Bourgogne. Daarnaast zijn er *châteaux*. Het gebruik van die term is verbonden aan regels, maar (diplomatiek gezegd) die munten niet uit door begrijpelijkheid en logica. Eén ding is in ieder geval wel duidelijk: de meeste châteaux vertonen weinig gelijkenis met echte kastelen. Ook producenten met eenvoudige stulpjes en een postzegeltje grond kunnen zich zo noemen. Voor de goede orde: château is primair een merkaanduiding. De hoogste châteaudichtheid is te vinden in Bordeaux, met de meest kasteelachtige in de Médoc.

Frankrijk telt verder een groot aantal coöperaties: *caves coopératives*, kortweg *caves*. Ze hebben als groep ten onrechte een dubieuze reputatie, want sommige produceren wijnen van topkwaliteit. Bij individuele producenten is het niet anders.

Pinot noir – veeleisende prima donna met kuren (en zuren), maar op z'n best het toppunt van finesse. Terecht geassocieerd met rode Bourgogne, al staat er meer van aangeplant in de Champagne. Verder te vinden in de Jura, aan de Loire en in de Languedoc, bij voorkeur op wat koelere locaties.

Syrah – koning van de Noord-Rhône, momenteel bezig met een wereldwijde zegetocht. Doet vaak aan bramen denken. Meer in het zuiden vaak geblend met wijn van grenache. In de Languedoc steeds prominenter aanwezig.

Tannat – de naam suggereert het al: een ras met veel tannine. In Madiran en omgeving in het Zuidwesten weten ze hoe ze 'm moeten temmen. Maar stoere wijn blijft het wel.

Tour de France

Frankrijk heeft heel wat wijngebieden, dus we maken een rondje in vogelvlucht. Te beginnen in het zuiden, waar de bakermat van de Franse wijnbouw ligt.

Languedoc

Grootste wijngebied van Frankrijk. Gelegen in de Midi, het mediterrane zuiden van het land. In de negentiende eeuw wer-

Maury in de Roussillon

den spoorwegverbindingen aangelegd met de steden in het noorden en daardoor kon dit gebied uitgroeien tot leverancier van grote hoeveelheden simpele, anonieme rode wijn: de beruchte pinard. Die heeft plaats gemaakt voor rode blends met een zuidelijk accent en cépagewijnen in wit, rood en rosé. Beide categorieën vallen onder de noemer Sud de France. Handelsmerk: waar voor je geld.

Roussillon

De Roussillon wordt vaak in één adem genoemd met de Languedoc. Daar is wel het een en ander voor te zeggen gelet op de overeenkomsten, maar doe het in de vorm van Languedoc & Roussillon en niet als Languedoc-Roussillon. Het ligt ter plaatse namelijk vrij gevoelig! De Roussillon ligt aan de Middellandse Zee, tegen Spanje aan. Zeg maar: Frans Catalonië. Rood, wit en rosé, plus als regionale specialiteit *vins doux naturels*, versterkte zoete wijnen.

Provence en Corsica

Bakermat van de Franse wijnbouw. Als wijngebied heeft de Provence van nu rosé als corebusiness, maar ook rood is de moeite waard. Wordt vaak in één adem genoemd met Corsica, alias Corse. Evenals buurman Sardinië een eigenzinnig eiland met eigen druivenrassen, die Italiaanse namen dragen.

Rhône

Vallée du Rhône, heet het gebied officieel. Het is onder te verdelen in een groot, breed uitwaaierend zuidelijk deel (*méridional*) en een veel kleiner, smal noordelijk gedeelte (*septentrional*). Een uitgestrekte vlakte dus versus een nauw dal. In beide gevallen is rood de dominante kleur. In het noorden regeert syrah, in het zuiden grenache. Beide delen van het gebied leveren wijnen die nergens anders te imiteren zijn.

Guigal: een grote naam in Côte-Rôtie

Curiosa

Naast grote en bekende appellations heeft Frankrijk nog een paar curiosa te bieden om je vingers bij af te likken. Er ligt bijvoorbeeld een wijngaard op het eiland Réunion, een *département d'outre mer* (overzees departement) op duizenden kilometers afstand van het moederland in de Indische Oceaan. Op het zuidelijk halfrond nog wel.

Letterlijk veel dichter bij huis liggen de wijngaarden – of liever: wijngaardjes – van Parijs. Ze herinneren aan het roemruchte wijnbouwverleden van het Île de France. Tot diep in de negentiende eeuw had Montmartre nog wijnbouw en had de wijn uit Suresnes (dicht bij het Bois de Boulogne) zelfs een goede reputatie. Lees er *Les Misérables* van Victor Hugo maar op na. De huidige wijn uit Montmarte is hooguit 'interessant', maar die uit Suresnes smaakt nog steeds heel aardig.

Wijngaard in Montmartre, hartje Parijs

Jura en Savoie

Twee weinig bekende, kleine gebieden in het oosten van Frankrijk, waarvan je de wijnen maar mondjesmaat in het buitenland tegenkomt. De Jura is uitgesproken eigenwijs. Het heeft behalve de bekende chardonnay een paar volstrekt lokale druiven, zoals de savagnin, en is trots op zijn specialiteit in de vorm van bewust oxidatieve, sherryachtige wijnen. Ook de Savoie, aan de voet van de Alpen, koestert zijn eigenheid met druiven als altesse (roussette) en bergeron (roussanne).

Meting suikergehalte in Beaujolais

Beaujolais

Als er nu één gebied is waar bijna alle wijn van een en dezelfde druif gemaakt wordt, dan is het wel de Beaujolais. De druif gamay tekent er voor 99% van de totale productie, een unieke situatie in de wereld. De Beaujolais grenst aan de Bourgogne, maar heeft een heel eigen karakter, net als de wijn, dankzij de combinatie van gamay en granietbodem. Een hardnekkig misverstand is dat wijnen uit de Beaujolais alleen maar speels en licht zijn en niet kunnen rijpen. Voor gewone Beaujolais en Beaujolais Villages klopt dat wel, maar bij de cru's tref je mooie voorbeelden van kracht, complexiteit en houdbaarheid. Onderschat gebied.

Bourgogne

Bourguignons raken verontwaardigd wanneer je suggereert dat ze in feite cépagewijnen of varietals maken, wijnen van één druivenras. Voor wit is dat hier chardonnay, voor rood pinot noir. Ze zullen tegenwerpen dat alles draait om terroir en dat de druivenrassen daaraan ondergeschikt zijn. Maar zonder chardonnay en pinot zou dat terroir niet tot zijn recht komen. Hoe dan ook, beide rassen bereiken vooral in de Côte d'Or ongekende kwaliteit (en

Het dorp Hunawihr in de Elzas

prijzen). Goed alternatief: wit uit de Mâconnais.

Alsace

De Alsace, in het Nederlands Elzas, is vanwege zijn historie een buitenbeentje onder de Franse wijngebieden. Kijk naar al die Duitse namen en vakwerkhuizen en je weet genoeg. Ook de wijnbouw vertoont nog steeds Duitse trekjes. Dat is te zien aan de aanplant van riesling, het gebruik van grote foeders en het al tientallen jaren werken met cépagewijnen die ook als zodanig geëtiketteerd worden. Voor andere AOC-wijnen was dat in Frankrijk tot voor kort taboe. Nu zouden we graag nog wat meer duidelijkheid op het etiket willen hebben over of de wijn droog dan wel minder droog is.

Champagne

Het noorden van Frankrijk is zo koel dat je er druiven niet fatsoenlijk rijp kunt krijgen en je blijft zitten met lage alcoholpercentages en hoge zuren. Om dan toch drinkbare wijn te maken, moet je wel kunstgrepen toepassen. In dit geval: de wijn mousserend maken. Dat gebeurt volgens de *méthode champenoise*: met belletjesvorming en rijping in de fles. Een gouden vondst,

Premier en grand cru

Diverse Franse gebieden hebben wijngaarden (terroirs) of bedrijven geklasseerd als cru. De Bourgogne onderscheidt enkele honderden premier cru's als zeer goede wijngaarden en een stuk of dertig als grand cru's van superieure kwaliteit.

De Elzas op zijn beurt heeft 51 wijngaarden geklasseerd als grand cru, zonder premier cru's daaronder.

In de Beaujolais slaat cru op tien gemeenteappellations met de beste terroirs van het gebied. Weer anders is het in de Champagne, waar de termen premier en grand cru op de kwaliteit van een hele gemeente betrekking hebben.

Ten slotte Bordeaux, waar individuele bedrijven zich cru classé mogen noemen. Ze zijn er in verschillende deelgebieden, met als beroemdste die uit de Médoc in het klassement van 1855. Pogingen tot herziening van bestaande klassementen zijn steevast goed voor een eindeloos juridisch steekspel.

die schitterende wijnen oplevert. In andere Franse gebieden wordt dezelfde techniek toegepast onder de naam *méthode traditionnelle*; de wijn heet daar crémant.

Val de Loire

Meer nog dan de Rhône kan de Loire zich dé wijnrivier van Frankrijk noemen. Wit, rosé, rood, droog, zoet, stil en mousserend: alles is er. In de regel in een elegante stijl. Wit van melon, chenin blanc en sauvignon blanc, rood vooral van cabernet franc, als cépagewijn gemaakt. Belangrijke deelgebieden van west naar oost: Muscadet, Anjou-Saumur, Touraine en Centre.

Luilekkerland Sud-Ouest

Sud-Ouest

Sud-Ouest is de verzamelnaam voor een aantal afzonderlijke wijngebieden in het Franse zuidwesten die in een halve boog om Bordeaux heen liggen. Als de phylloxera ergens huisgehouden heeft, dan wel hier. Bergerac heeft het nadeel de naaste buur van Bordeaux te zijn en er voortdurend mee vergeleken te worden, of zelfs als onderdeel van Bordeaux beschouwd te worden. Cahors richt zich sterk op de teelt van malbec, Gaillac is ideaal voor avontuurlijke wijndrinkers en Madiran voor liefhebbers van het stevige werk.

Bordeaux

Volgens veel kenners en liefhebbers kan geen enkel ander Frans of buitenlands gebied tippen aan Bordeaux. Het is de historische nummer één en synoniem met (Franse) wijn *tout court*. Met een aanplant van 110.000 hectare is Bordeaux groter dan Duitsland of Zuid-Afrika. Zwaartepunt en handelsmerk vormen rode wijnen, assemblages van cabernet franc, cabernet sauvignon en merlot. Bordeaux is natuurlijk wereldberoemd om zijn zeer kostbare grand cru's, maar die vormen hooguit 2% van het totaal. De meeste wijn uit Bordeaux is daarom helemaal niet zo duur.

Jonge Bordeaux

Het Maison du Vin de Bordeaux

Houten vaten in de Champagne

Hout

Ter afronding van het hoofdstuk Frankrijk een belangrijk aspect van het wijn maken: hout. Franse wijnproducenten komt de eer toe de toepassing van kleine houten vaten te hebben ontwikkeld voor een optimale opvoeding.

Vaten werden aanvankelijk alleen gebruikt voor transportdoeleinden. Maar verblijf op hout heeft ook invloed op de smaak van de wijn: het brengt de wijn in gedoseerd contact met zuurstof. Bij rode wijnen met veel tannine leidt dat, zeker in een klein vat, tot een 'verzachting' van die tannine. Prachtige voorbeelden daarvan zijn te vinden in de Bordeaux. Voor witte wijnen worden eveneens kleine vaten gebruikt, maar dan vooral voor de vergisting. Het beste voorbeeld daarvan vormen grote witte Bourgognes. Het is niet de bedoeling om de wijn blijvend van een houtsausje te voorzien en als het goed is, raken de houtaroma's in de wijn geïntegreerd.

Het bekendste model vat is de *barrique bordelaise* met een inhoud van 225 liter. Goede tweede is het *pièce* van 228 liter in de Bourgogne. In opkomst zijn grotere vaten met een inhoud van 600 liter, waarbij de wijn wat minder houtcontact heeft. De naam voor dit type vat is *demi-muid*.

Flinke kostenpost

Verantwoordelijk voor de fabricage van die vaten en ook van houten gistingskuipen zijn *tonneliers*. Voor ze met het eikenhout aan de slag gaan, laten ze het eerst een paar jaar in de open lucht liggen. Niet om te drogen, zoals wel eens gesuggereerd wordt, maar meer om 'groene' trekjes kwijt te raken. Franse tonneliers werken het liefst met Frans eikenhout, dat algemeen erkend wordt als het beste. Het komt van eeuwenoude bomen in wouden in de Limousin, Allier, Nièvre en Vosges. Enkele van die wouden werden in de zeventiende eeuw geplant om hout te produceren voor vlootbouw.

Een letterlijk smaakbepalende handeling bij het maken van vaten is de intensiteit waarmee ze aan de binnenkant gebrand worden. Hoe heftiger dit gebeurt, des te meer aroma's het hout aan de wijn zal afgeven.

Barriques vormen een niet te onderschatten kostenpost. Aanschaf van een nieuw exemplaar kost tussen de 500 en 650 euro. Prettig om dan te weten dat zo'n vat desgewenst wel een paar wijnen mee kan. Wijnen die volledig op nieuw hout rijpen, zijn zeldzaam en prijzig. Bovendien maakt ook de Franse wijnboer tegenwoordig wijnen die aansluiten bij de smaak van de moderne consument. En dat betekent: meer fruit, minder hout.

Frankrijk kort

- Aanplant: (exclusief Cognac en Armagnac) 750.000 ha
- Meest aangeplante witte druivenrassen: ugni blanc, chardonnay, sauvignon blanc, melon de bourgogne, chenin blanc
- Meest aangeplante blauwe druivenrassen: merlot, grenache, syrah, cabernet sauvignon, carignan, cabernet franc, gamay, pinot noir
- Aandeel AOP/AOC en IGP: 67%
- Aandeel biologische wijn: 7%

Nieuwe barriques

Fruit, vleugje hout, kruidigheid; klassieker onder de merkwijnen

Dit is een voorbeeld van een trend van de afgelopen jaren. Steeds meer wijnwinkels gaan op zoek naar een herkenbare reeks wijnen. Als de ene wijn lekker is, dan zal de andere dat ook wel zijn: zo denkt de klant vaak. En in het geval van Arrogant Frog klopt dat gelukkig helemaal. Dit is een heerlijke reeks wijnen, fruitig en lekker soepel. Inmiddels een klassieker onder de merkwijnen, gemaakt door een Fransman die zichzelf op de hak durft te nemen. *Arrogant frog* is immers de bijnaam die de Engelsen geven aan de Fransen. Leuk. En slim! Hier werkt het heel goed, want de Fransman in kwestie kan serieus wijn maken. Warm rood met bramen en bosbessen, wat ondersteuning van hout, lichte kruidigheid, chocolaatje in de afdronk. Niks hooghartigs of arrogants aan te ontdekken.

Arrogant Frog • Ribet Red • Pays d'Oc
🍇 cabernet sauvignon, merlot

€ 6 tot € 7   Gall & Gall

Rins en zuiver: perfect bij een lekker visje

Je hebt van die wijnen die ideaal zijn voor als het weer, het moment of het eten vraagt om verfrissend wit. Muscadet, ten onrechte in onmin geraakt, is daar een goed voorbeeld van. En de Languedoc heeft ook zo'n wijn: Picpoul de Pinet. Jumbo heeft een puik exemplaar gevonden met Blue Mare. Dat doet denken aan een blauwe zee. Je voeten in het zand en boven je een strakblauwe hemel. Een strandterras waar je een zomerse lunch met een visje nuttigt, al dan niet verwerkt in een salade. Want dat is waar deze wijn van de picpouldruif om schreeuwt. Toch voelt hij zich ook thuis op andere momenten, op andere plaatsen, bij andere gerechten. Van mosselen tot forellen, zo'n Picpoul smaakt er goed bij. Rins en zuiver, met een aantrekkelijk bittertje. Acaciabloesem, limoen, kruidige venkel, frisse zuren. Heerlijk open en levendig.

Blue Mare • Picpoul de Pinet
🍇 picpoul

€ 4 tot € 5   Jumbo

Een goed gespierde, puike rode wijn met fruit en beet

Al in de Romeinse tijd werd hier aan wijnbouw gedaan (het zal eens niet...), maar de bekendheid van Buzet stamt uit de middeleeuwen. Je vindt er dezelfde druivenrassen als in Bordeaux. Cabernet sauvignon, merlot en cabernet franc bijvoorbeeld. Mocht je de wijnen willen vergelijken met Bordeaux, dan kun je onder meer denken aan Médoc. Maar Buzet is geen Bordeaux: het ligt in de Sud-Ouest. Buzet is ook de naam van de lokale coöperatie, die hard werkt. Met succes, want we hebben een puike rode in het glas. Kersen, bessen, lekker wat beet en grip van tannine, goede zuren, eerder gespierd dan weelderig. Lekker bij *charcuterie* of paté. Een van de leden van het proefteam van de *Wijnalmanak* dronk deze wijn ooit bij restaurant Les Pyrénées in het plaatsje Castillon-la-Bataille, bij een *steak oigné*: een flinterdunne, rood gebakken steak met rauwe uitjes. Perfecte combinatie!

Buzet Red Badge • Merlot - Cabernet • Buzet
🍇 merlot, cabernet sauvignon, cabernet franc

156

€ 4 tot € 5   Attent, Bas van der Heijden, Boni, Coop, CoopCompact, Dekamarkt, Digros, Dirk van den Broek, Hoogvliet, Jan Linders, MCD, Spar, SuperCoop, Vomar

Het pure fruit van de gamay, niets meer en niets minder

Beaujolais is weer helemaal terug! De kwaliteit was teruggelopen en de wijnen waren dun, maar sinds enkele jaren hebben ze weer de kracht en het heerlijke fruit zoals we het graag zien. Dit is er een die we jaren achtereen lekker vonden en dus hoort hij ook thuis in deze editie. Het is een wijn die zelf al aangeeft wat je van een aantrekkelijke Beaujolais mag verwachten. Hij heet Natural omdat hij puur en zonder enige filtering wordt gebotteld, zodat hij al zijn smaak behoudt. Een vrolijk etiket met bloemetjes siert de fles. Daarmee kom je helemaal in de sfeer van Beaujolais. In essentie is dat immers een tot vrolijkheid stemmende wijn, met het pure fruit van de gamaydruif, niets meer en niets minder. Heerlijk speels en verteerbaar, elk jaar weer. Cave de Bel-Air bevestigt zijn goede reputatie bij elke jaargang. Lichtvoetig, sap van rijpe kersen, opwekkend. Aanbevolen. Drink 'm bij voorkeur lekker koel.

Cave de Bel-Air • Natural • Beaujolais
🍇 gamay

€ 4 tot € 5   Dirck III

Een ontdekking: zuidelijk van aard en zonnig van prijs

Alpe d'Huez en Mont Ventoux vechten bij de Tour de France om de titel van bekendste beklimming. Traditioneel is de eerste de lieveling van de Nederlandse fans en coureurs. Mont Ventoux is wat bevreemdend, met dat kale maanlandschap dat zich kilometers uitstrekt. Kan hier wel iets groeien, vraag je je af. En dat kan zeker. Druiven bijvoorbeeld. De wijn uit de appellation Ventoux is een goed alternatief voor Côtes du Rhône. Logisch, want de twee herkomstgebieden liggen letterlijk in elkaars verlengde. Ventoux ís simpelweg een Rhônewijn en in het geval van de Découverte ('ontdekking') nog een heel goede ook. Typisch zuidelijk van aard, volop kruidigheid, stevig in de alcohol (13,5%), niet te zoet, mooi romig. Ook nog eens zonnig geprijsd. Dus laten wij als Nederlanders niet alleen de Alpe d'Huez bewonderen, maar ook de Mont Ventoux en de wijnen uit de omgeving in ons hart sluiten. Ze zijn het waard.

Caves Saint-Pierre • Découverte • Ventoux
🍇 gamay

€ 3 tot € 4   Bas van der Heijden, Dekamarkt, Digros, Dirk van den Broek

Jong en veelbelovend: hier kan Bordeaux trots op zijn

Dit is Bordeaux zoals hij misschien wel hoort te zijn. Maar voor veel wijnboeren lijkt dat te veel gevraagd. Zo niet voor Pierre Ardoin. Bij het proeven voor de *Wijnalmanak* komen zijn wijnen al jaren bovendrijven. Veel merlot van oude stokken, met een paar procent cabernet en een handjevol malbec. Na de gisting rijpt de wijn zes maanden op gebruikte eikenhouten fusten. Daarna rijpt hij verder op grote tanks. Hij is jong. Een beetje op slot nog, om zo te zeggen. Maar wel veelbelovend! Krachtig zwart fruit, cassis, kersen, laurier, zwarte peper, koffie. De tannine is mooi rijp, de zuren zijn goed. Hier kan Bordeaux trots op zijn. Kopen, karafferen en erbij eten. Importeur Ton Schaapveld drinkt 'm graag licht gekoeld bij een salade met stokbrood. Dat doet hem denken aan de brasseries bij het treinstation van Bordeaux, waar je goedkoop een prima steak-frites kon eten met een gekoelde, frisse rode Bordeaux erbij.

Château Cap Saint-Martin • Tradition • Blaye Côtes de Bordeaux
🍇 merlot, cabernet sauvignon, malbec

€ 8 tot € 9   Les Généreux

Elk jaar goed, deze zuivere, droge, perfecte zomerrosé

Bijna nostalgisch, een wijn die al begin jaren negentig met plezier werd aangeduid als 'een rosé zoals rosé moet zijn'. Dit is wat het maken van deze gids met de beste wijnen uit de geschiedenis van de *Wijnalmanak* zo leuk maakt. Het is een feest van herkenning. Er zijn namelijk een paar wijnhuizen die jaar op jaar terugkomen in de almanak. Dit is daar een mooi voorbeeld van. Geen rosé zo goed als die uit de Provence, zo blijkt elke keer weer. En deze rosé van Château La Gordonne is elk jaar goed: dé perfecte wijn voor in de zomer. Een lichte, zalm-roze kleur (typerend voor rosés uit de Provence), bloemig, met klein rood fruit en perzik, kruidigheid, droog, niet te snoepjesachtig, mooi schoon. Misschien tussen de buien door toch maar zo'n flesje in huis halen. Nog een voordeel: goedkoper per zes!

Château La Gordonne · Rosé · Côtes de Provence
🍇 cinsault

€ 5 tot € 6   AH Wijndomein, Albert Heijn

Een en al jeugdige onstuimigheid, barstensvol fruit

Er wordt vaak gezegd dat Bordeaux een dure wijn is. Steeds vaker blijkt dit een vooroordeel, waarschijnlijk gebaseerd op de extreem hoge prijzen die voor topchâteaux uit deze streek worden gevraagd. Maar 'gewone' châteauwijnen zijn vaak juist opmerkelijk goedkoop. Dat komt doordat de boeren in de Bordeaux veel techniek in huis hebben om goede wijnen te kunnen maken. Zo helpt het gebruik van oogstmachines, die tegenwoordig van zeer goede kwaliteit zijn, om de oogst efficiënt en op exact het juiste moment binnen te halen. Bordeaux 2011 was klimaattechnisch geen 'jaar van de eeuw', maar wel een jaar voor wijnen die uitstekend het typische Bordeauxkarakter vertolken. Sleutelwoord: elegantie. Zo ook bij dit glas rood. Een en al jeugdige onstuimigheid, barstensvol fruit, kersen, bosbessen, bramen, puur sap. Ook mooie romigheid en *fraîcheur*, zo verleidelijk als wat. Dit kan alleen maar uit Frankrijk komen. Heerlijk rood, fris en nooit te zwaar.

Château Pradeau Mazeau • Bordeaux
🍇 cabernet sauvignon, cabernet franc, merlot

€ 5 tot € 6   Attent, MCD, Plus, Poiesz, Spar

Sémillon tilt sauvignon naar hoger plan

Tot ver in de twintigste eeuw produceerde Bordeaux meer wit dan rood. Alleen was veel van dat wit nogal saai en onbestemd zoet. De laatste decennia is de kwaliteit van droge witte Bordeaux drastisch gestegen. Hij is niet meer saai door een overdaad aan sulfiet, maar vief en expressief. Kwestie van een veel betere keldertechniek. Thieuley is daar al jaren een exponent van. De jaargang 2011 was heel goed, breed en krachtig, met spanning en lengte. Klassieke druivencombi, waarbij de sémillon de sauvignon naar een hoger plan tilt. Citrusfruit, wat vanille, ragfijne zuren. De dochters van Francis Courselle, Marie en Sylvie, runnen én innoveren het bedrijf. De stijl en filosofie zijn behouden gebleven. Francis zou ook niet anders willen en op de achtergrond houdt hij nog altijd een oogje in het zeil. Was, is en blijft een topper.

Château Thieuley • Sec • Bordeaux
sauvignon blanc, sémillon, sauvignon gris

€ 9 tot € 10   Léon Colaris

Voortreffelijke rode Bordeaux in klassieke stijl: heerlijk

Vroeger, toen alles nog beter was, was de wereld heel overzichtelijk. Rode wijn kwam uit Bordeaux en witte wijn uit Bourgogne. Op feestdagen was er eventueel champagne. Nu komt wijn uit alle hoeken van de wereld en zie je soms door de bomen het bos niet meer. Wat is het dan lekker dat je eens op een vertrouwde waarde kunt terugvallen. Zoals hier. Keurige Médoc onder een tientje, het bestaat nog. Het merendeel van de wijnen uit Bordeaux hoeft immers helemaal geen vermogen te kosten. Château Tour Prignac in Lesparre, deel uitmakend van de 'verzameling' individuele châteaux van wijngigant Castel, laat zien dat het kan. Een voortreffelijke rode wijn met de smaak van zwarte bessen, kersen en een hint van paprika (van de cabernet). Heerlijk fris en sappig, niet te zwaar ook. Klassieke stijl. Helemaal Bordeaux: heerlijk.

Château Tour Prignac • Cru Bourgeois • Médoc
🍇 cabernet sauvignon, merlot

€ 9 tot € 10   Dirck III, Jumbo, Vomar

Ongecompliceerde roze doordrinker, vol fruit en frisheid

Colombelle is een succesnummer van Plaimont, een van Frankrijks meest innovatieve coöperaties, die een scherp oog heeft voor wat de markt vraagt. Daar zou menig Frans producent een voorbeeld aan kunnen nemen. Jaar na jaar weet dit bedrijf wijnen te maken die het erg goed doen. Tegenwoordig verkopen ze zo'n 40 miljoen (!) flessen per jaar. In de appellation Saint-Mont maakt hun productie 98% uit van het totaal. Voor de appellation Côtes de Gascogne, waaronder deze wijn valt, is dat bijna de helft. Na de oorspronkelijke witte is er ook een rosé ontwikkeld. Net als de witte versie is ook deze roze Colombelle bedoeld als een ongecompliceerde doordrinker, waar je verder niet moeilijk over hoeft te doen. Gemaakt van de 'grote drie' Bordeauxdruiven en de eigen tannat uit de Gascogne. Helemaal toegespitst op fruit en frisheid. *Vin de soif*, noemen Fransen dat.

Colombelle • L'Original • Côtes de Gascogne
merlot, cabernet sauvignon, cabernet franc, tannat

€ 4 tot € 5   DGS

Indrukwekkende wijn vol zwart fruit en fijne zuren

Depuis 1692. Ofwel: dit bedrijf is gestart toen Lodewijk XIV het voor het zeggen had in Frankrijk. De corebusiness hier is rode wijn. Van de 29 hectare wijngaarden is slechts 3 hectare aangeplant met witte druiven. 'Cairanne' en 'karakter' klinken enigszins hetzelfde. Dat kan bijna geen toeval zijn, want deze gemeente in het zuidelijke deel van de Rhône produceert wijn van hoge kwaliteit. Des te vreemder is het dat Cairanne nog steeds geen eigen appellation heeft gekregen, hoewel het daar volgens menigeen al lang recht op heeft. Het zij zo. De wijn is er niet minder om. Alary's 2011 is zelfs indrukwekkend te noemen. Het gebruik van veel grenache (60-65%) staat garant voor lekker donker fruit, typerend voor dit deel van de Rhône. Rijp, veel kracht, breed, zwart fruit, met een subliem tegenwicht van fijne zuren en dito tannine. Wat ons betreft de status van een cru waardig.

Domaine Alary • La Gerbaude • Côtes du Rhône
🍇 grenache, syrah, carignan

€ 9 tot € 10   Les Généreux

Wijn met een solide structuur, om te bewaren

De Rhône mag een van de oudste wijngebieden van Frankrijk zijn (ten tijde van de Romeinen werd er in de buurt van Vaison la Romaine al aan wijnbouw gedaan), het Domaine Brusset bestaat 'pas' sinds 1947. Het door Laurent Brusset geleide domein is een van de vaandeldragers in Cairanne. Aan Brussets wijnen kan het niet liggen dat Cairanne nog geen eigen appellation heeft (al komt die wel steeds dichterbij). Neem maar eens zijn rode cuvée Laurent B. Een blend van de *usual suspects*: 60% grenache, aangevuld met 20% syrah en gelijke delen carignan en mourvèdre. Deze wijn lijkt gemaakt op het fruit, maar hij kan dankzij zijn solide structuur makkelijk een paar jaar bewaard worden. Breed, veel fruit, pepertje, soepelheid, zuren en diepgang. Veel beter dan de eenvoudige herkomstbenaming doet vermoeden. Heel goed zelfs!

Domaine Brusset • Laurent B. • Côtes du Rhône
grenache, syrah, carignan, mourvèdre

€ 9 tot € 10   Wijnkoperij De Gouden Ton

Charmante Gamay, barstensvol fruit

De druif gamay is vooral bekend van de streek Beaujolais, waar er heerlijk fruitige wijnen van worden gemaakt. Maar ook aan de Loire is hij goed ingeburgerd. Hij staat met name in de omgeving van Tours aangeplant. Dankzij het koele klimaat van deze streek zijn de wijnen lichtvoetig en elegant van karakter, met dat typische fruit van de gamay. Dit is een Gamay van een overrompelende charme, barstensvol fruit, zoete bessen en kersen, een en al speelsheid en frivoliteit. Slechts 12% alcohol. Proefden we ook nog een hint van laurier en rijpe zwarte olijven? Vrolijkheid ten top, dat staat wel vast. De man achter Domaine de la Charmoise, Henry Marionnet, is dan ook niet de minste. Even koelen, deze wijn, en dan drinken bij de barbecue, sappige kippendijen, pittige schapenkaas of Chinees. Het hele jaar door dus, weer of geen weer.

Domaine de la Charmoise • Gamay • Touraine
🍇 gamay

€ 7 tot € 8   Henri Bloem

Aangenaam fruitig, met gepolijste zuren en tannine

Bordeaux heeft de naam en faam, maar niet ver daarvandaan ligt een klein dorpje... Nou ja, het blijft de *Wijnalmanak* en geen *Asterix & Obelix*. Toch loont het de moeite na Bordeaux iets meer landinwaarts te kijken, naar Bergerac. Een bloeiende wijnstreek; op een goed moment werd de wijnboeren zelfs aangeboden om bij Bordeaux te mogen horen. Omdat het toen zo goed ging, weigerden de boeren op dit voorstel in te gaan. De rest is geschiedenis. Deze wijn is te vergelijken met een mooie, 'kleine' Bordeaux, een mix van merlot en cabernet. De vinificatie is gericht op fruitigheid en beperking van de hoeveelheid tannine. Houtopvoeding blijft daarom achterwege. De wijn gaat na de vergisting direct in grote tanks van roestvrij staal om te rijpen. Hij is aanvankelijk gesloten, dan cassisaroma's, een aangenaam fruitige smaak met gepolijste zuren en tannine. Voor het schenken even karafferen. Wijnen uit goede jaren zijn zeker een paar jaar te bewaren.

Domaine du Gouyat • Bergerac
merlot, cabernet sauvignon

€ 7 tot € 8   Wijnkoperij De Gouden Ton

Luchtig en lichtvoetig: in alle eenvoud ontzettend lekker

Nederland lijkt overspoeld te worden met witte Gascognewijnen. En laten we eerlijk zijn: dat zal vast wel iets met de prijs te maken hebben. Maar de kwaliteit van het gebodene geeft er óók volop aanleiding toe. Geen fratsen, gewoon heerlijke wijnen. Zo ook bij deze producent; een familiebedrijf van honderd jaar oud. Als je bij Tariquet aan komt rijden, kun je nergens uit afleiden hoeveel wijn ze hier wel niet maken. Je komt over een onverhard weggetje bij het woonhuis van de eigenaar en zijn vrouw terecht. Pas achter in de kelder wordt het duidelijk: hier maken ze heel wat flessen wijn. Zo'n 8 miljoen per jaar. En dat doen ze heel goed. Tariquet verdient ruimschoots lof voor zijn licht tintelende Classic. Lichtvoetig, wit fruit, rins, mooi droog. In alle eenvoud ontzettend lekker. Ook voor beginnende wijnliefhebbers een aanrader.

Domaine du Tariquet • Classic • Côtes de Gascogne
🍇 ugni blanc, colombard

€ 4 tot € 5   LFE

IJzersterke rode wijn: romig, sappig en heel verteerbaar

Domaine La Colombette is het domein van de familie Pugibet. Geen middel blijft er onbeproefd om de kwaliteit van de wijnen op een steeds hoger plan te brengen. Wijnmaker Vincent, kleinzoon van de oprichter, is een groot pleitbezorger van wijnen met wat minder alcohol. Het proces om dit te bereiken heeft hij inmiddels goed onder de knie, zodat de kwaliteit van de wijn er niet onder lijdt. Ook is hij een groot fan van schroefdoppen. Geen unicum in Frankrijk, maar toch zijn het er nog niet heel veel. Het meest opmerkelijke is wel dat het de Pugibets lukt om geweldige wijnen onder de 5 euro te maken. Sinds de laatste accijnsverhoging zitten ze er net een kwartje boven, maar vooruit. Zie deze ijzersterke rode wijn van grenache en syrah. Room en sap, kersen, bramen, bosbessen, tijm en laurier. Ook de nodige structuur en grip, maar de romigheid blijft. Heel verteerbaar. Petje af.

Domaine La Colombette • Puech d'Hortes • Coteaux du Libron
🍇 grenache, syrah

€ 5 tot € 6   Henri Bloem

Rosé met de kracht van een mediterrane rode wijn

Hét roségebied van Frankrijk en misschien wel van de hele wereld is de Provence, met als bekendste appellation Côtes de Provence. De wijnen zijn zonder uitzondering herkenbaar aan hun specifieke bleekroze kleur. Als je binnen de Provence even verder kijkt, kom je ook rosés uit andere appellations tegen, die vaak een stuk betaalbaarder zijn, want de rosés uit Côtes de Provence hebben niet alleen op het gebied van kwaliteit een naam hoog te houden. Neem nu deze wijn, uit het deelgebied Coteaux Varois. Zou je die van Domaine Saint-Ferréol herkennen als je hem in een zwart glas geschonken kreeg? Vast niet. Want dit is er een met de kracht, alcohol en bitters van een mediterrane rode wijn! Rood fruit (kersen, aardbeien, rode bes) is bijna vanzelfsprekend ook present, evenals een mooie kruidige toets en goede zuren. Allesbehalve een roseetje, maar een Rosé. Voor bij de bouillabaisse of salade niçoise.

Domaine Saint-Ferréol • Coteaux Varois en Provence
🍇 grenache, cinsault, syrah

€ 7 tot € 8   Les Généreux

Zacht fruit, levendige zuren en altijd goed aan tafel

Veel, heel veel wijn komt er uit het zuidelijke Rhône-dal. Het is een van de redenen waarom de prijzen er zo concurrerend zijn. Als consument kun je daar je voordeel mee doen. Dat is ook de reden dat er best veel Rhônewijnen in onze selectie staan voor deze gids met toppers; er komt gewoon heel veel lekkers uit dat stukje Frankrijk. Kijk maar naar deze Réserve van Esprit du Rhône. Zacht fruit met peper en kruidigheid, levendige zuren, goed afgerond, mooie prijs-kwaliteitverhouding. Veel van deze Rhône-wijnen zijn breed inzetbaar en ze doen het zonder uitzondering goed bij de maaltijd. Maar dan wel bij stevige gerechten, waar ook gerust wat specerijen in gebruikt mogen worden. Denk aan grootmoeders stoofvlees met kaneel en kruidnagel. Of konijn met pruimen. Dat zijn gerechten waarbij deze wijn zich kiplekker voelt, zogezegd.

Esprit du Rhône • Réserve • Côtes du Rhône
grenache, syrah, cinsault, mourvèdre

€ 3 tot € 4   C1000

Gemaakt door een vakman: witte Rhône met goede zuren

Het jongste lid van het Wijnalmanak Team kwam al rond zijn elfde thuis bij Jean-Luc Colombo. Diens dochter Laure was toen ongeveer vijf. In de tussentijd is er veel veranderd. De proever van de *Wijnalmanak* is inmiddels vader en Laure werkt in het bedrijf van haar vader. Onveranderd is dat Jean-Luc nog steeds heerlijke wijnen maakt. Niet alleen als wijnboer, maar ook als *négociant* (handelaar). Want het bedrijf is in de loop der jaren wel wat groter geworden. We selecteerden een witte wijn van hem. Wit? Rhône is toch rood? Meestal, maar niet altijd. Des te aardiger dat ook een kei als Jean-Luc Colombo zich waagt aan het maken van wit. Zijn cuvée Les Abeilles ('de bijen'), gemaakt van clairette en roussanne, vormt een leuke introductie op dit type wijn. Aangenaam en bloemig, gemaakt op het fruit, met witte perzik, anijs en goede zuren. Je proeft de hand van de vakman.

Jean-Luc Colombo • Les Abeilles de Colombo • Côtes du Rhône
🐝 clairette, roussanne

€ 8 tot € 9   Intercaves

Zo mediterraan als maar kan en toch heel verfijnd

Deze rode uitvoering van Colline (er is ook een witte) is een schoolvoorbeeld van een biologische wijn die heel representatief voor zijn herkomst genoemd mag worden. Pure, mediterrane geur, donker fruit, zoethout, laurier, een toonbeeld van zuiverheid en evenwichtigheid. Heerlijk, zo Rhône als maar kan, maar toch ook heel verfijnd en precies. Kracht én elegantie, het beste van twee werelden. Wijnmaker Eric Plumet is meer in de wijngaard te vinden dan erbuiten. Het team van importeur Vinoblesse noemt hem daarom liefkozend de reuzetuinkabouter. Volgens Eric 'gebeurt' het in de wijngaard. Het grootste geheim van dit domein is trouwens zijn Châteauneuf-du-Pape. Er is zeer weinig van te krijgen; het gaat om nog geen halve hectare aan wijngaarden. Natuurlijk is een kleine 30 euro niet goedkoop voor een fles, maar voor een Châteauneuf van topklasse is het een koopje. Een tip voor feestdagen!

La Cabotte • Colline • Côtes du Rhône
grenache, syrah, carignan, cinsault

€ 9 tot € 10   Biowijnclub.nl, De Natuurwinkel/Natudis, Vinoblesse (Biologisch)

Een omweggetje waard, deze verleidelijke wijn

Frankrijk is een van de populairste vakantiebestemmingen voor veel Nederlanders. Voor veel Fransen trouwens ook, maar dat terzijde. Veel mensen kennen de Ardèche dus waarschijnlijk als een heerlijke regio om te bezoeken, maar niet direct als wijngebied. Dat terwijl het beslist de moeite waard is. De nabijheid van de Rhône is te merken aan de aanplant van een druif als grenache, maar evenzogoed staat er de 'vreemde' merlot aangeplant, die je in de Rhônestreek gewoonlijk niet vindt. Dat is de 'plaag' van de moderne wijnwereld. Bekende namen trekken kopers; mensen die de naam merlot kennen van de cépage-wijnen of *varietals* uit Australië en het Pays d'Oc. Toch misstaat de merlot in deze wijn niet. Wijn met body, vol heerlijk sap en fruit. Pure verleiding van zwarte kersen en bramen, jam, romigheid. Een omweggetje waard.

Les Terrasses • Ardèche Rouge • Coteaux de l'Ardèche
🍇 merlot, grenache

€ 4 tot € 5   Boomsma

De befaamde wijnadviseur en globetrotter Michel Rolland uit Bordeaux zei ooit: Italië produceert de slechtste én de mooiste wijnen ter wereld. Een uitspraak die hard aankwam. In essentie had Rolland gelijk, maar wel met een belangrijke nuancering: Italiaanse wijnen worden over de hele breedte steeds beter.

Italië

Ondanks meer dan 25 eeuwen wijnbouw is Italië in feite een nog jong wijnland. Tot ver in de twintigste eeuw was de overgrote meerderheid van de Italiaanse wijnen, ook die uit nu zo beroemde gebieden als Piemonte en Toscane, niet meer dan een alledaags levensmiddel waarover niet moeilijk gedaan werd. Hoe anders is dat nu!

Al een poosje neemt de populariteit van Italiaanse wijnen gestaag toe. Terecht, want ze hebben een geheel eigen karakter en komen uit een fascinerend land. Zo heel anders dan Nederland en in psychologisch opzicht ver weg. Soms ook moeilijk te doorgronden, zeker als het om wijn gaat.

Eeuwenlang werd er in Italië wijn geproduceerd als anonieme bulk, die was bestemd voor een weinig kritische lokale markt. Heel traditioneel allemaal, en rustiek van karakter – in de regel wrang. Het ontbrak de meeste producenten simpelweg aan kennis, visie en ambitie. En hoewel Italië altijd een heel open land is geweest, sloot het zich wat betreft de wijnbouw op in een vrijwillig isolement ten opzichte van ontwikkelingen in het buitenland. Het enige wat telde was volume. Met 'authenticiteit' had het allemaal bar weinig te maken. Die tijd is gelukkig voorbij. Wat het Italië van nu zo bijzonder maakt, is een eindeloze variatie aan druivenrassen, smaken en stijlen.

Eindelijk kwaliteit

Na al die eeuwen waarin er nauwelijks iets gebeurde, is de Italiaanse wijnbouw in de tweede helft van de twintigste eeuw geleidelijk aan in de ban geraakt van vernieuwing en kwaliteit. En kwaliteit won van kwantiteit: Italië koos voor minder maar beter. Sindsdien zijn duizenden hectaren derderangs wijngaarden gerooid, waardoor de aanplant in de afgelopen 25 jaar met een derde is gekrompen. Andere wijngaarden zijn helemaal opnieuw aangeplant. Aanvankelijk werd daarbij nogal eens gelonkt naar internationaal populaire druiven, maar de grootste kracht blijkt toch in de honderden eigen, oer-Italiaanse rassen te liggen.

Italiës meest in het oog springende wijnen zijn de rode. De witte zijn, generaliserend gesproken, aan de neutrale kant. Uitzonderingen op deze regel zijn te vinden in onder andere Alto Adige (ook Südtirol genoemd) en Friuli.

Italiaanse wijnen worden vaak getypeerd als 'eetwijnen', dat wil zeggen dat ze aan tafel het best tot hun recht komen. Daar zit veel waars in, maar het wil niet zeggen dat ze daarom een uur uitleg nodig hebben of alleen maar bij Italiaanse gerechten zouden passen.

Enorme rijkdom

Italië is en blijft wel een complex wijnland. Op Frankrijk na kan geen enkel ander land bogen op zo'n rijkdom aan stijlen en smaken als Italië. Waar Italië werkelijk uniek in is, is het gegeven dat wijnbouw er in alle gewesten bedreven wordt, niet

Wijngaard in Valpolicella

één uitgezonderd. Dat kan van landen als Frankrijk en Spanje niet gezegd worden. Over een afstand van 1200 kilometer, van de Alpen tot op Sicilië, staan wijnstokken aangeplant.

Wijnbouw dus in alle gewesten, die elk hun eigen druiven hebben. Met honderden DOC's, tientallen DOCG's en de nodige IGT's als herkomstaanduidingen (zie onder), plus een slordige 2000 officieel geregistreerde wijnsoorten.

Zoals overal in de wijnwereld zijn het de individuele producenten die het verschil uitmaken. Nou, laat dat maar aan de Italianen over. Grotere individualisten zijn nauwelijks denkbaar. Het resultaat is die al eerder genoemde onwaarschijnlijk grote variëteit.

Grieken voorop

De meeste beschrijvingen van Italiaanse wijn beginnen in het noorden, om vervolgens af te zakken naar het zuiden. Vreemd is dat, want in historisch opzicht heeft de Italiaanse wijnbouw zich juist andersom ontwikkeld. Hoewel het in grote delen van Europa de Romeinen waren die de eerste aanzet tot wijnbouw gaven, waren ze dat in eigen land niet. Die eer komt op naam van de Grieken.

Traditionele druivenstokgeleiding

Griekse steden vestigden her en der kolonies in wat nu Zuid-Italië en Sicilië zijn, al eeuwen voordat Rome politiek iets begon voor te stellen. De behoefte aan wijn was in die kolonies van Magna Graecia kennelijk zo groot, dat er op grote schaal wijnstokken geplant werden. Het bezorgde Zuid-Italië de veelzeggende bijnaam *Oenotria*: 'Wijnland'.

Voor de verbreiding van de wijnbouw in Midden-Italië was het de beurt aan de Etrusken. En de Romeinen ten slotte zijn, door de expansie van hun rijk, verantwoordelijk geweest voor de wijnbouw in Noord-Italië, Frankrijk, Spanje en Duitsland. Ook waren ze de eersten die onderscheid maakten tussen verschillende 'cru's', zoals de legendarische prestigewijn Falerner.

Bergland

Italië is in essentie een land van bergen. Dwars door het hele land, vanaf de Franse grens tot helemaal in het diepe zuiden, lopen de Apennijnen. Ze vormen als het ware de ruggengraat van Italië en delen het letterlijk en figuurlijk in tweeën, met de westelijke kant aan de Tyrreense Zee en de oostelijke aan de Adriatische Zee. Ze sluiten aan op de Alpen, die op hun beurt het

Het gebied Langhe in Piemonte

hele noorden omsluiten. Aan de randen van beide gebergten liggen heuvelachtige uitlopers: minder hoog, maar daardoor juist geschikt voor druiventeelt.

Kwaliteitswijnbouw is in Italië bijna onlosmakelijk verbonden met hellingen. Denk maar aan beroemde gebieden als Piemonte en het centrale deel van Toscane met Chianti Classico. Alleen in de Povlakte, Friuli en bepaalde kustgebieden kom je vlakke terreinen tegen.

Warm en koud

Naar zich laat raden, hebben al die bergen en heuvels een minstens zo grote invloed

op de wijnbouw als het continentaal be-
invloede klimaat in het noorden en het
mediterrane klimaat in de rest van het
land. De daadwerkelijke ligging van een
wijngaard is immers belangrijker dan de
breedtegraad op de kaart. Vandaar dat
de stelling 'hoe zuidelijker, hoe warmer'
in Italië maar in beperkte mate opgaat.
Hoogteligging, invloed van zee en wind,
beschutting van een vallei: het zijn stuk
voor stuk factoren die voor onverwachte
situaties zorgen.

Een paar voorbeelden. Umbrië is, hoewel
het ten zuiden van Toscane ligt, over het
algemeen iets koeler. Sicilië, niet al te ver

verwijderd van Afrika, produceert tegen
de verwachting in meer wit dan rood. Het
noordelijke Piemonte maakt juist in grote
meerderheid rode wijn. En aan de voet van
de Alpen in Alto Adige/Südtirol, eveneens
in het hoge noorden, is het mogelijk om
cabernet sauvignon te telen, doordat de
valleien er warmte vasthouden.

Goede bodems

Vanzelfsprekend kent Italië een mozaïek
aan bodems. Twee hoofdtypen springen
eruit voor de wijnbouw. Een ervan zijn de
sterk kalkhoudende bodems, bijna altijd
een garantie voor kwalitatief superieure
wijnen met spanning. Binnen Italië vind je
ze onder meer in Piemonte, Friuli, Toscane en Salento, de hak van Apulië (Puglia).
Het andere type, goed voor nadrukkelijk
minerale wijnen, is dat met vulkanisch ge-
steente. Je vindt dat in gebieden als Soave,
Campanië – de streek van de Vesuvius –
en Sicilië met zijn nog altijd actieve Etna.

Veel, heel veel druiven

De lijst met Italiaanse druivenrassen is
eindeloos: het zijn er ongeveer duizend.
En vanwege de vele synoniemen en va-
riaties in klonen – druivenplanten mu-
teren heel gemakkelijk – vormen ze een

Bottelinstallatie

St. Kurk

Ondanks alle vernieuwing houden Italianen hardnekkig vast aan bepaalde tradities. Een goed voorbeeld daarvan is het heilige ontzag voor kurk en de daarmee samenhangende afkeer van schroefdoppen. Diverse DOC(G)'s stellen het gebruik van kurk als afsluiter zelfs verplicht. Of die politiek op de langere termijn vol te houden is voor 's werelds grootste wijnexporteur is op zijn minst twijfelachtig.

bijna ondoordringbare jungle. Het goede nieuws is dat maar een beperkt gedeelte van al die rassen, enkele tientallen, er werkelijk toe doet.

Buitenlandse druivenrassen als cabernet sauvignon, merlot, pinot noir en chardonnay hebben alleen in het noordoosten van Italië een zekere traditie. De Bordeauxdruiven cabernet en merlot verschenen er al in de tweede helft van de negentiende eeuw door toedoen van de Oostenrijkers; de Bourgognedruiven chardonnay en pinot noir bleken onmisbaar voor de productie van hoogwaardige mousserende wijnen.

Proeven van het vat

Italiës belangrijkste eigen blauwe druiven zijn, van noord naar zuid, nebbiolo, barbera, refosco, corvina, sangiovese, sagrantino, aglianico, negroamaro en nero d'avola. Ze rijpen allemaal laat en hebben daarom in zomer en najaar flink wat zon nodig om hun tannine en zuren kwijt te raken.

De bekendste witte druiven zijn: trebbiano, verdicchio, vernaccia, friulano, arneis, garganega, greco en vermentino.

DOC, DOCG, IGT

Vergeleken met Frankrijk was Italië nogal laat met de invoering van een officieel etiketteringsysteem. Het wachtte ermee tot 1963. De belangrijkste categorie is die van de *denominazione di origine controllata*, afgekort als DOC. Het is de tegenhanger van de Franse *appellation d'origine contrôlée*. Al zijn ze wel verbonden met bepaalde regels voor de productie, ze zeggen vooral iets over herkomst en minder over kwaliteit.

Van alle Italiaanse wijnen valt nu 35 tot 40% onder een DOC(G), met de aantekening dat de percentages per gewest sterk wisselen. Piemonte komt bijvoorbeeld aan wel 85%, Toscane aan 62. De vuistregel is: hoe noordelijker, des te groter het percentage wijn met een DOC, hoe zuidelijker, des te minder.

Hetzelfde geldt voor wijnen met een *denominazione di origine controllata e garantita* (DOCG). Op papier is dit een 'gecontroleerde en gegarandeerde' superappellation, maar de toewijzing ervan lijkt nogal eens politiek gemotiveerd te zijn geweest in plaats van kwalitatief.

De derde herkomstcategorie is de *indicazione geografica tipica* (IGT). De regels voor een IGT zijn in de regel wat ruimer, zodat producenten meer kunnen experimenteren. Veel vroegere *vini da tavola*, de eenvoudigste categorie, vallen nu onder zo'n IGT.

Blik op het stadje Barolo

Je mooiste glaswerk

De Italiaanse wijnwereld is complex, oké. Maar is de wijn daarom een exclusief speelterrein voor zelfverklaarde 'Italiëkenners' en moet je je als 'buitenstaander' maar beperken tot de bekende namen? Natuurlijk niet. Je hoeft niet per se een bevoor(oor)-deelde kenner te zijn om Italiaanse wijnen te kunnen waarderen. Je moet er alleen voor open willen staan. En vooral durven. Die durf wordt gegarandeerd beloond, want de diversiteit gaat heel vaak gepaard met kwaliteit. Een perfect alibi voor een Giro d'Italia door de wijngebieden in Noord-, Midden- en Zuid-Italië en die op de twee grote eilanden. Haal, net zoals de op stijl en design verzotte Italianen dat tegenwoordig doen, het mooiste glaswerk dus maar vast tevoorschijn. Hun wijnen verdienen immers dubbel en dwars een krans.

Het zuiden

We beginnen ons Italiaanse 'van gewest tot gewest' op Sicilië (Sicilia). Om twee redenen: een historische en een actuele. De historische is verbonden met de Grieken, de veel relevantere actuele met de manier waarop het 21^e-eeuwse Sicilië zich als wijnregio op de internationale kaart weet te zetten. Zet al je vooroordelen opzij. Als het om wijn en wijnmarketing gaat, zijn de Sicilianen een voorbeeld voor hun collega's. Obscure DOC's worden nauwelijks meer gebruikt; de meeste wijnen komen gewoon als DOC Sicilia op de markt. Bijvoorbeeld witte wijn van typisch autochtone druiven als catarratto en grillo, en rode wijn van nero d'avola.

Hoewel het nogal eens in één adem met Sicilië genoemd wordt omdat het toevallig ook een eiland is, heeft Sardinië (Sardegna) daar helemaal niets gemeen mee – en

al evenmin met het Italiaanse vasteland. Sardinië is gewoon een naar binnen gekeerde wereld op zichzelf. Regionale specialiteiten zijn witte wijnen van vermentino en rode van carignano en cannonau (grenache).

Langs de oostkust

Dan naar het vasteland. Het uiterste zuiden van Italië wordt de Mezzogiorno genoemd. De meest interessante actie vindt hier plaats aan de zuidoostkant, in Apulië. Een gebied waar momenteel veel dynamiek getoond wordt, is Salento, de hak van Italië. Behalve met van oudsher grote vo-

---

Waar blijven de cru's?

De onverschilligheid ten aanzien van de specifieke herkomst en het terroir van hun wijnen heeft de Italianen er heel lang van afgehouden om individuele wijngaarden te klasseren en een speciale positie van *(grand) cru* toe te kennen. Het Frans-Duitse concept van kwaliteitsonderscheid tussen afzonderlijke wijngaarden was tot voor kort niet aan ze besteed. Net zoals bij hun collega's in Spanje. Maar ook daarin begint verandering te komen. Niet toevallig zijn het de cultureel altijd wat Frans georiënteerde Piemontezen geweest die de namen van specifieke wijngaarden op hun etiketten zijn gaan zetten, met voorop producenten van prestigieuze wijnen als Barolo en Barbaresco. In 2006 is een nationale vereniging van producenten opgericht die werk willen maken van *grandi cru*, ook al hebben die cru's geen wettelijke status.

lumes timmert Apulië steeds meer aan de weg met karaktervolle wijn. Typisch eigen druiven zijn hier negroamaro ('donkerbitter') en de aan de Californische zinfandel verwante primitivo. En dat betekent niet primitief, maar 'vroeg rijp'.

Abruzzo en de Marken (Marche) aan de oostkant van de Apennijnen zijn ook allebei in opkomst dankzij betrouwbare en betaalbare wijnen. Uit Abruzzo zijn dat wit van trebbiano en rood van montepulciano. De bekendste wijn uit Marken is de witte viswijn Verdicchio, met Rosso Piceno als leuke rode tegenhanger.

Emilia-Romagna beslaat het gebied tussen Toscane en Marken in het zuiden en de Po in het noorden. Met steden als Parma (ham, kaas), Modena (aceto balsamico) en Bologna (van de bolognesesaus) telt het enkele culinair belangrijke plaatsen. Als wijngebied produceert het veel eenvoudige Sangiovese.

Naar het westen

We steken over naar de westkant. Met Campanië (Campania) en Latium (Lazio) komen we in de omgeving van respectievelijk Napels en Rome. Verreweg de span-

Wijn en olie, twee pijlers van het mediterrane dieet

Kelderrust

nendste wijnen komen uit Campanië met zijn vulkaanbodems. In de Romeinse tijd was de Falerner de grote ster, maar vandaag de dag stelen de mooie witte Fiano, de Greco di Tufo en de rode Taurasi, gemaakt van de druif aglianico, de show.

Wat verder noordwaarts en nog steeds aan de westkant van de Apennijnen komen we in Umbrië (Umbria) en Toscane (Toscana), favoriet bij cultuurliefhebbers en eigenaars van een tweede huisje op het land. Umbrië heeft vooral naam gemaakt met witte wijnen als Orvieto, maar het grootste prestige is voor de rode Sagrantino. Toscane is samen met Piemonte een van de twee Italiaanse gewesten die naam gemaakt hebben als leveranciers van echt grote wijnen. Rode wijnen van sangiovese, soms met wat aanvulling van andere rassen: de werelberoemde Chianti. Alle wijnen uit Chianti mogen een DOCG dragen, maar waarom is en blijft een groot raadsel. Die status had men beter kunnen reserveren voor de wijn uit Chianti Classico,

Pergola

Op nostalgische zwart-witplaatjes van het Italiaanse landleven kun je nog zien hoe wijnranken langs bomen omhoog geleid werden. Of hoe in het kader van gemengd agrarisch bedrijf tussen de wijnstokken allerhande andere gewassen groeiden. In beide gevallen een nogal moeizame vorm van wijnbouw. Grotendeels voltooid verleden tijd ook. Evenals in de rest van de wereld bepalen vooral rationeel aangelegde en met de tractor te bewerken wijngaarden en stokken met draadgeleiding het beeld. In bepaalde delen van Italië wordt nog wel een systeem gebruikt waarbij het bladerdek geleid en gestut wordt door pergola's. Plukkers hoeven hier dus niet te bukken, maar knippen trossen af die boven hun hoofd hangen.

het adembenemend mooie hart van het gebied. Ook beroemde wijnen als de Vino Nobile uit Montepulciano en de Brunello uit Montalcino worden van sangiovese gemaakt. Een betrekkelijk nieuw gedeelte van Toscane is Bolgheri aan de Tyrreense kust. Hier doet sangiovese nauwelijks mee, maar zijn Bordeauxrassen populair.

De witte hoek

Friuli, Veneto, Trentino-Alto Adige en Lombardije (Lombardia) vormen het noordoosten van Italië. Ze produceren een onvoorstelbaar breed gamma wijnen in alle mogelijke stijlen. Het beste Italiaanse wit komt hiervandaan.

Fraaie voorbeelden zijn de wijnen uit het Friulaanse Collio, Soave en Custoza in Veneto of de loepzuivere aromatische wijnen uit het tot 1919 Oostenrijkse en tegenwoordig tweetalige Alto Adige/Südtirol. Veel wijngaarden liggen hier behoorlijk hoog op de hellingen, waardoor de druiven prachtige zuren ontwikkelen. Daarnaast is mousserende wijn hier in het noordoosten een echte specialiteit (zie onder).

De bekendste rode wijn is Valpolicella, die in vier versies gemaakt wordt: onder andere 'gewoon' droog en de zeer krachtige, zwoele Amarone di Valpolicella.

Noordelijke bollicine

Italianen zijn dol op mousserende wijnen. Wanneer die krachtig bruisen, spreken ze van *spumante*; wanneer het meer parelen is, gebruiken ze de term *frizzante*. En over termen gesproken, klinkt het Italiaanse *bollicine* niet een stuk stijlvoller dan het Nederlandse bubbels?

De productie van mousserende wijnen is geconcentreerd in een handjevol gebieden in het noorden. Proseccco, de grote hit van de afgelopen jaren in Nederland, komt uit de Veneto, om precies te zijn uit een zone even ten noorden van Venetië. Voor het

Winkeltje in Montalcino

serieuzere werk komen we uit bij Trento in Trentino en Franciacorta in het oosten van Lombardije. De beste versies van deze wijnen concurreren met die uit de Champagne. Van een heel ander kaliber – zoet, uitgesproken fruitig en laag in alcohol – is Moscato d'Asti. De herkomst daarvan is Piemonte.

Mooi zoet

Italië produceert prachtige edelzoete wijnen. Anders dan in de landen ten noorden van de Alpen gebeurt dat niet door het optreden van edele rotting (botrytis; zie het hoofdstuk Duitsland), maar door indroging van de druif. Dat kan gebeuren terwijl die nog aan de stok hangt, of na de pluk, in een speciale droogruimte. Door het vochtverlies stijgt de suikerconcentratie in de druif. Voorbeelden van zulke wijnen (met de naam *recioto*) zijn te vinden in Soave en Valpolicella, allebei in Veneto. Voor Vin Santo uit Toscane wordt een vergelijkbaar procedé toegepast.

'Frans' Piemonte

Met Piemonte in het noordwesten sluiten we de ronde af. Hoewel het vooropliep in de strijd om de Italiaanse eenwording, heeft het zeker als wijngebied wat 'Franse' trekjes, met bedrijven die aandoen als *domaines* in Bourgogne en veel oog voor herkomst en terroir (het samenspel van locatie van de wijngaard, klimaat, weer,

Hellingwijngaarden in Trentino

bodemtype en druivenras). De koning van het gebied is de nebbiolo, de druif van aristocratische wijnen als Barbaresco en Barolo. Verreweg het meest aangeplant is de barbera, alleskunner en leverancier van een oertype Italiaans rood, bedoeld voor de dagelijkse maaltijd. Idem de dolcetto.

Eten wordt in Piemonte trouwens net zo serieus genomen als wijn. Niet voor niets heeft de beweging Slow Food er zijn thuisbasis. En, misschien in tegenstelling tot wat je zou denken: Italianen in het noorden drinken behoorlijk veel meer wijn dan die in het zuiden. De dorstigste wijndrinkers met gemiddeld ruim 58 liter per hoofd van de bevolking zijn te vinden in Ligurië, Veneto en de Marken, de minst dorstige met nog geen 44 liter in Basilicata en Sicilië. In Nederland zitten we daar met ongeveer 22 liter nog ruim onder. Misschien wat meer Italiaans drinken?

Italië kort

- Aanplant: 812.000 ha
- Gemiddelde bedrijfsgrootte: 0,8 ha
- Aandeel witte wijn: 50%
- Aandeel rode wijn: 50%
- Aantal DOP's: ruim 400, waarvan 73 DOCG en 330 DOC
- Aantal IGT's: ruim 115
- Aantal geregistreerde wijnsoorten: meer dan 2000

Zuidelijke elegantie met zachtheid en fraîcheur

Umbrië is binnen Italië een bescheiden wijngebied. Veel kleiner dan bijvoorbeeld het aangrenzende Toscane. Minder bekend ook. Toch komen hier mooie wijnen vandaan, met als bekendste de witte Orvieto. Bigi, dat dateert uit 1880, maakte jarenlang alleen maar Orvieto. Maar het had ook de ambitie om goede rode wijnen te maken, met als resultaat deze Vipra Rossa. Bigi legde voor zijn blauwe druiven wijngaarden aan op de arme heuvels van Orvieto, met een hoog gehalte aan kiezels. Door de hoogte van 300 meter kan het goed afkoelen in deze wijngaarden. De belangrijkste druif in de blend is de Franse merlot, met 70%. Hij wordt gecombineerd met 20% sangiovese en een klein beetje montepulciano (10%). Een aangename combinatie van eigen en exotisch. Italianen houden nu eenmaal van experimenteren. Het resultaat: zuidelijke elegantie met kersen en pruimen, zachtheid en *fraîcheur*, plus een stevige structuur en spanning. Goed!

Bigi • Vipra Rossa • Umbria
🍇 merlot, sangiovese, montepulciano

€ 7 tot € 8   Jean Arnaud

Zeer geslaagde (t)huiswijn uit Abruzzo

De bergstreek ten oosten van Rome, de Abruzzen, is vooral bekend om zijn rode wijn, de Montepulciano d'Abruzzo. Een diepgekleurde en krachtige wijn: een echt kind van de ruige bergen van deze fraaie streek. Maar in dit wijngebied staan wel degelijk ook witte druivenrassen aangeplant. Die hebben alleen vaak geen eigen lokale herkomstbenaming, DOC (tegenwoordig ook wel: DOP) in het Italiaans. Deze wijn heeft de aanduiding IGT, *Indicazione Geografica Tipica*, in dit geval Terre di Chieti. De streekdruif voor wit is hier trebbiano. Hoogstwaarschijnlijk heeft Cantina Tollo de chardonnay toegevoegd aan de trebbiano om de wijn een beetje meer vet te geven en hem wat toegankelijker te maken. Missie geslaagd. Wij zouden ons de Gufo Bianco wensen als huiswijn in het café om de hoek. (Maar helaas...) Wit fruit, peer, meloen, het romige van de chardonnay, lekker frisse afdronk. Dan maar als betaalbare zomerwijn thuis.

Cantina Tollo • Gufo Bianco • Terre di Chieti
🍇 trebbiano, chardonnay

€ 4 tot € 5   Heisterkamp Wijnkopers

Knap gemaakt glas zwoel en rijp rood

Voor authentieke druivenrassen zit je goed in Italië. Het land wemelt ervan. In Apulië (Puglia) vind je bijvoorbeeld de negroamaro, de 'zwarte met de bitters'. Dat klinkt intimiderender dan de wijn van deze druif in werkelijkheid smaakt. Door het warme weer in het Italiaanse zuiden komt hij juist heel rijp en wat zoet over. Bovendien is men bij Due Palme ook zo slim om een klein beetje restsuiker in de wijn te laten, zodat de tannine en bitters mooi worden ingepakt. Van oorsprong staat de negroamaro, samen met de malvasia nera, aan de basis van de bekende lokale wijn Salice Salentino. Met zijn wijnen en druiven heeft Apulië de afgelopen jaren flink aan de weg getimmerd, zodat het gebied nu een reputatie heeft van goede, rijpe en betaalbare rode wijnen. Dit is er eentje. Je proeft bramenjam, zoethout en de nodige body. Voor de liefhebbers van een zwoel glas. Knap gemaakt overigens.

Cantine Due Palme • Domiziano • Salento
🍇 negroamaro

€ 6 tot € 7   Les Généreux

Originele wijn: weelderig en toch droog

Ongeveer halverwege Italië, tussen de Apennijnen en de Adriatische Zee, ligt de regio Marken (Marche). Een gebied dat bekendstaat om zijn mooie kust, met centraal de havenstad Ancona. Voor wijnliefhebbers zijn hier pareltjes te vinden, zoals mooie droge wijnen van de lokale witte druif verdicchio. Behalve uit de omgeving van Jesi kunnen die ook uit Matelica komen; die zijn minstens zo goed als de bekendere buurman Verdicchio dei Castelli di Jesi. Verdicchio is een Italiaanse druif die weer helemaal in de mode is. Het inzicht is gegroeid dat je je alleen met 'eigen' druivenrassen kunt onderscheiden. Bovendien zijn juist deze druiven geschikt voor het lokale klimaat. Dat levert een originele wijn op, met honing en abrikoos in zijn geur. Weelderig en toch droog van smaak, met kweepeer, meloen en een zacht-rinse finale. Wat lekker! Verdicchio op zijn best, een van de witte sterren van importeur Vinoblesse. Een betere Italiaanse viswijn is moeilijk te vinden.

Colle Stefano • Verdicchio di Matelica
🍇 verdicchio

€ 8 tot € 9   Biowijnclub.nl, Van de Wijnen, Vinoblesse (Biologisch)

Rare naam, heerlijke wijn

What's in a name? TOH staat eigenlijk voor tocai en daarmee voor een veel aangeplante witte druif in Friuli. Hij werd er ook wel tocai friulano genoemd. Werd, want Europa heeft die naam verboden om verwarring met de wijn uit het Hongaarse Tokaj te voorkomen. (Hetzelfde gebeurde met tokay/pinot gris in de Elzas.) De nieuwe naam werd uiteindelijk friulano. Dezelfde druif staat ook direct over de grens aangeplant, in Slovenië, maar daar mag hij sinds kort weer geen friulano heten, omdat dit te veel zou verwijzen naar de streek Friuli. In Slovenië weten ze nu niet meer hoe ze die druif in vredesnaam moeten noemen. Verwarring alom dus, maar we gaan er voetstoots van uit dat de Europese Unie er alleen maar goede bedoelingen mee heeft. De wijn smaakt er niet minder om. Open, zacht, bloemen, kweepeer, honing, eetlustopwekkende zuren. Smakelijke partner voor gevogelte als kip, kalkoen of parelhoen.

Di Lenardo Vineyards • TOH! • Friuli Grave
🍇 friuliano

€ 9 tot € 10   Les Généreux

Robuuste, rijke wijn voor gure dagen

Net als negroamaro en malvasia nera is primitivo een typische druif voor Apulië (Puglia), de wijnregio in de hak van de Italiaanse laars. Apulië heeft zich qua volume opgewerkt tot de op een na belangrijkste Italiaanse wijnregio. Het gebied is gespecialiseerd in krachtige rode wijnen. Logisch in dit klimaat. Primitivo werd ooit vergeleken met de Californische zinfandel, maar tegenwoordig heeft hij toch meer zijn eigen plek en eigen naam. Het stadje Manduria, in de provincie Taranto, ten zuidwesten van Brindisi, is een van de beste plekken voor de aanplant van primitivo. Deze Primitivo van Epicuro is een heerlijke representant van het diepe Italiaanse zuiden en een wijn voor gure dagen. Zwoel en rijk, met 14% alcohol, wat niks bijzonders is voor wijnen van de stoere primitivo. Zuiderse kruidigheid, krenten, confiture. Veel stevigheid, zoals we gewend zijn van deze robuuste druif: eten en drinken tegelijk. Zachte afdronk.

Epicuro • Primitivo di Manduria
🍇 primitivo

€ 7 tot € 8   Wijnkring

Fruit, kruidigheid en ideale zuren

Voor alle duidelijkheid: Montepulciano d'Abruzzo heeft niets te maken met het Toscaanse stadje Montepulciano. De naam zegt het eigenlijk al: de wijn komt uit de regio Abruzzo in het midden van Italië, aan de bergachtige en ruige oostkust van het land. Montepulciano is hier de naam van de druif. Op zijn best, zoals bij Farnese, levert die een krachtige en intense wijn, met zowel vulling als frisheid. De geschiedenis van Farneses wijnen gaat terug tot de zestiende eeuw, toen de vrouw van de prins Farnese besloot een wijngoed te stichten. Tegenwoordig is Farnese het belangrijkste wijnhuis van de streek. Het heeft een goede reputatie, omdat het de druiven streng controleert. En niet minder dan zes wijnmakers houden zich continu bezig met de kwaliteit. Ze maken ook deze heerlijke, betaalbare rode wijn onder de naam Fantini. Hij heeft zwart fruit, kruidigheid, ideale zuren en tannine. Zo Italiaans als maar kan, in optima forma.

Fantini • Montepulciano d'Abruzzo
montepulciano

€ 4 tot € 5   AH Wijndomein, Albert Heijn

Delicaat en speels,
met opwekkende frisheid

De naam Fasoli is niet meer weg te denken uit de wereld van de biologische wijnen. Het werkterrein van deze producent is de streek rond Soave, in het noordoosten van Italië. Het probleem met Soave is dat de wijngaarden in de loop der jaren te ver zijn uitgebreid van de heuvels (het gebied dat recht heeft op de benaming Soave Classico) naar het dal. Daar werken veel producenten op de rijke ondergronden met te hoge opbrengsten, waardoor de druiven niet goed rijp worden en de wijnen licht en karakterloos blijven. Maar ook daar kunnen mooie Soaves worden gemaakt. Een kwestie van werken in harmonie met de natuur, alleen fruit gebruiken van de garganega (klemtoon op de tweede lettergreep) en niet te veel oogsten. Wat is Soave dan ineens een verleidelijke wijn. Delicaat en speels. Voorjaarsbloemen en heerlijk wit fruit strijden om de voorrang. Opwekkende frisheid, licht tintelend. Mooie Soave.

Fasoli Gino • La Corte del Pozzo • Soave
⚜ garganega

€ 7 tot € 8   Ekoplaza (Biologisch)

Specerijen naast heerlijk ronde tannine: prachtig rood

Sicilië levert jaar na jaar steeds betere wijnen af. Wijnen met fruit en frisheid, die alle vooroordelen ten aanzien van het eiland moeiteloos weerleggen. Bovendien zorgt het zonnige en milde klimaat ervoor dat hier maar weinig bestrijdingsmiddelen hoeven te worden gebruikt en dat het werk in de wijngaard minimaal is. Goed voor de wijn en voor de portemonnee. De Siciliaanse wijnindustrie getuigt van een on-Italiaanse vooruitstrevendheid en daarom doet Sicilië het zeer goed op de internationale markt. Creatief assembleren van verschillende druivenrassen hoort daar ook bij. Firriato is zo'n domein dat volledig aan de nieuwe stijl voldoet. Bij deze wijn is een mooie combinatie gemaakt van de lokale nero d'avola en cabernet sauvignon uit de Bordeaux. Proef maar eens deze ontzettend lekkere Altavilla. Wat een prachtige rode wijn. Met rijp bosfruit, kersen, zoethout, specerijen en heerlijk ronde tannine. *Forza Sicilia*!

Firriato • Altavilla della Corte • Sicilia
🍇 nero d'avola, cabernet sauvignon

€ 9 tot € 10   Douwe Walinga

Mediterraan, maar elegant

Op papier heeft Sicilië een hele reeks herkomstbenamingen, maar de meeste producenten zijn zo slim om gewoon Sicilia te gebruiken. Zo duidelijk als wat. Firriato is een van de mooiere bedrijven van Sicilië, met zijn basis aan de westkant, in het gebied dat vroeger vooral vermaard was vanwege Marsala. Het bedrijf heeft wijngaarden op verschillende plaatsen op het eiland, om op elke plek te kunnen profiteren van de beste omstandigheden. Firriato – in de jaren tachtig opgezet – maakt op grote schaal gebruik van de lokale druiven van Sicilië. Ze worden op een eigentijdse manier verwerkt tot wijnen waarin souplesse en fruit vooropstaan. Deze rode Chiaramonte komt uit het westen, van Tenuta Dagala Borromeo. Hij wordt gemaakt van de Siciliaanse blauwe druif bij uitstek: nero d'avola. Heerlijke wijn met mediterrane accenten, maar toch ook best elegant. Door de zon verwend fruit, kruidigheid, kracht, zuren en lengte.

Firriato · Chiaramonte Nero d'Avola · Sicilia
🍇 nero d'avola

€ 9 tot € 10   Douwe Walinga

Zachte en soepele wijn met een fijn zuurtje

Het bijzondere landgoed van Fontanafredda is ooit gebouwd door koning Victor Emanuel II voor zijn maîtresse, Rosa Vercellana. Het diende als een soort jachtslot, maar de echte inkomsten moesten komen uit het maken van wijn. Fontanafredda ontwikkelde zich tot een belangrijk wijnhuis en is nog altijd een van de grootste producenten van de beroemde Barolo, gemaakt van de bijzondere lokale druif nebbiolo. Maar als aanvulling hierop worden ook heerlijke wijnen gemaakt van andere streekdruiven, zoals barbera en dolcetto. Deze heerlijke Barbera is een dubbele reclame. Ten eerste reclame voor dit schitterende wijngebied, Piemonte, in het noordwesten van Italië. Ten tweede is het reclame voor barbera, in aanplant de belangrijkste druif van Piemonte. Een voortreffelijke wijn voor zijn prijs, zacht en soepel met toch dat fijne zuurtje, goed fruit, laurier. In één woord: heerlijk!

Fontanafredda • Briccotondo Barbera • Piemonte
🍇 barbera

€ 6 tot € 7   AH Wijndomein, Albert Heijn

Licht tintelende wijn vol levendigheid

Kellerei en Cantina, Terlan en Pinot Bianco: dat moet wel Alto Adige/Südtirol zijn. Met dat soort dubbelzinnigheden krijg je in dit van origine Oostenrijkse en officieel tweetalige wijngebied vaker te maken. Charmant wel. In de praktijk is de taal van de wijnbouw er nog altijd Duits, af en toe vermengd met wat Italiaans. In de streek wordt met trots verteld dat 70% van de inwoners Duitstalig is, dus Duits is hier gewoon de voertaal.

De coöperatie van Terlan/Terlano, ten noordwesten van Bolzano, is een van de vele uitstekende coöperaties van de streek. Door de ligging van de wijngaarden op behoorlijke hoogte (voor pinot bianco zo'n 300 tot 500 meter) krijgen de druiven een mooi intens aroma en opwekkende zuren. Geen onduidelijkheid over de kwaliteit dus. Dit is een heerlijke Pinot Bianco, levendig en sappig met een lichte tinteling. Puur, peer, appel, lekker wat vulling, kruidige toets. Sprankelend en spannend.

Kellerei-Cantina Terlan • Pinot Bianco Classico • Alto Adige
🍇 pinot bianco

€ 9 tot € 10   Henri Bloem

Volle rosé die staat als een huis

Langzaam maar zeker zie je meer rosé uit Italië komen. De concurrentie wordt dus allengs groter, wat altijd een goede zaak is voor de wijndrinker. Madregale is vooralsnog een producent die de toon zet, met een *rosato* waar collega's zich aan kunnen spiegelen. Hij komt uit de streek waar ook de rode Montepulciano d'Abruzzo wordt gemaakt. De rosé-variant daarvan wordt Cerasuolo genoemd, maar Madregale koos ervoor deze benaming te vermijden. Cerasuolo is doorgaans een volle en diepe rosé, terwijl deze fruitiger en lichtvoetiger van karakter is. Maar het blijft een eetwijn, ongeacht de kleur. Deze rosé staat als een huis. Hij combineert het soepele karakter en de mooie zuren van de sangiovesedruif met de kracht en volheid van de lokale montepulciano. Aromatisch, kruidig, tikje zuidelijk. Fruit dat wel van frambozen in plaats van druiven lijkt te komen. Verrukkelijk bij kip en kalkoen of geroosterd (speen)-varken.

Madregale • Rosato • Terre di Chieti
sangiovese, montepulciano

€ 5 tot € 6   Les Généreux

Perfect voor aan tafel, dit knisperfrisse wit

Als je spreekt over 'klassieke' wijnen uit de *Wijnalmanak*, dan is deze Verdicchio dei Castelli di Jesi Classico er zonder meer een van. Zelden kom je zo'n lekker glas knisperfris wit tegen voor zo'n goede prijs. En dat elk jaar weer. Geweldig. Het is een goed voorbeeld van de klasse van de regio Marken (Marche). Anders dan Toscane ligt de Marken aan de oostkant, dus aan de Adriatische kust. Als wijnstreek is het veel onbekender dan Toscane, zodat de prijsstelling van de wijnen een stuk vriendelijker is. In stadjes zoals Ancona en elders langs de kust drinken ze Verdicchio dei Castelli di Jesi graag bij vis. Kan goed. Liever bij pasta? Kan ook. Bij gezonde salade? Ook dat is lekker. Evenals bij kaas, of een stukje kalfsvlees. Kortom, een veelzijdige witte wijn. Zacht wit fruit, sap, subtiele kruidigheid, uiterst voedselvriendelijk.

Mosaico • Classico • Verdicchio dei Castelli di Jesi
🍇 verdicchio

€ 4 tot € 5   Plus

Vriendelijke en aangenaam ronde Toscaan

Chianti is zonder enige twijfel een van de bekendste wijnstreken van Italië. Dat mag zo zijn, maar met de reputatie van Chiantiwijnen is het de afgelopen decennia nogal op-en-neergegaan. Het probleem is dat in de jaren zeventig van de vorige eeuw te veel druiven werden geoogst, zodat de wijnen vaak dun en schraal waren. De afgelopen jaren is er hard gewerkt om met lagere opbrengsten betere wijnen te maken, maar het duurt lang voor de reputatie weer op niveau is. Daarom zijn er nu nog goede wijnen voor weinig geld te koop. Want je vraagt je wel af hoe het in vredesnaam mogelijk is om een fatsoenlijke Chianti op de markt te brengen voor zo'n vriendenprijsje als deze Sensi. Dat is in al zijn eenvoud gewoon een heel aardige wijn, met redelijk fruit, wat kruidigheid, laurier en een aangename rondheid. Drink deze vriendelijke Toscaan rustig gekoeld.

Sensi • Chianti   sangiovese, canaiolo

€ 4 tot € 5   Agrimarkt, Attent, Bas van den Heijden, Boni, Coop, CoopCompact, Dekamarkt, Digros, Dirk van den Broek, Hoogvliet, Jan Linders, MCD, Nettorama, Poiesz, Spar, SuperCoop, Vomar

Rijp fruit, rozijnen en een tikje zoet

De van nature soepele en fruitige Valpolicella was een wijn die lang uit de gratie was. Het was meer in de mode om krachtige en stoere wijnen te drinken. Maar de afgelopen jaren is hij weer helemaal terug van weggeweest. We hebben met z'n allen ontdekt dat dit type wijn heerlijk is om licht gekoeld te drinken op een mooie zomerdag. Daarnaast hebben sommige Valpolicellaproducenten een deel van hun wijnen wat voller en krachtiger gemaakt met de *ripasso*-methode. Valpolicella Ripasso wordt geproduceerd met gebruikmaking van wat over is van de druivenschillen voor Amarone, een zeer rijke wijn die wordt gemaakt van ingedroogde druiven. Het toevoegen van dit restant schillen en gisten aan de nog piepjonge wijn van 'gewone' Valpolicella zorgt voor een bescheiden tweede gisting, die de wijn wat voller en krachtiger maakt. Rijp rood fruit met rozijnen en vijgen, licht zoetige smaak, amandelbittertje, duidelijk afgestemd op een brede doelgroep. Niet verkeerd dus.

Zonin • Superiore Ripasso • Valpolicella
🍇 corvina veronese, rondinella, molinara e.a.

€ 9 tot € 10   C1000, Jumbo

Geen enkel belangrijk wijnland in de wereld is zo snel vanuit het (bijna) niets tevoorschijn gekomen als Nieuw-Zeeland. En geen enkel ander wijnland vereenzelvigt zich zo met één druivenras en één wijn: Nieuw-Zeeland vormt een onlosmakelijke twee-eenheid met Sauvignon Blanc. Maar er is meer. Het jonge wijnland produceert ook uitstekende Chardonnay en, zeer verrassend, Pinot Noir.

Nieuw-Zeeland

Nieuw-Zeelanders waren en zijn enthousiaste bierdrinkers, net als hun Australische buren. Hoewel de eerste wijnstok in Nieuw-Zeeland bijna tweehonderd jaar geleden de grond in ging, duurde het dan ook tot ver in de twintigste eeuw voor hier een serieuze wijnindustrie ontstond. Maar toen is het ineens hard gegaan. Heel hard zelfs.

Nieuw-Zeeland is als wijnland een schoolvoorbeeld van de Nieuwe Wereld. Phoeniciërs, Grieken en Romeinen hebben er nooit voet aan wal gezet, laat staan druivenstokken geïntroduceerd. Ook verschenen er in de zestiende en zeventiende eeuw geen Spaanse of Nederlandse kolonisatoren, zoals in Zuid-Amerika en Zuid-Afrika. De eerste wijnstok werd in 1819 geplant, maar pas in de loop van de twintigste eeuw begon de wijnproductie te groeien. Eenmaal op gang, kwam er snel vaart in, met vanaf 2000 bijna ieder jaar nieuwe recordcijfers voor aanplant en productie.

Vandaag de dag vind je wijngaarden verspreid over zo ongeveer heel Nieuw-Zeeland, van Auckland in het noorden van het Noordereiland tot Central Otago in het zuiden van het Zuidereiland. De groei van de aanplant lijkt nu overigens wel tot staan te zijn gekomen en zal naar verwachting de komende jaren stabiel blijven op een niveau van 34.000 tot 35.000 hectare. Dat is nog altijd viermaal zoveel als aan het eind van de jaren negentig...

Zeeën van verschil

Als je de ligging van de twee buurlanden op een wereldkaart bekijkt, kom je in de verleiding om Nieuw-Zeeland in één adem te noemen met Australië. Ze lijken immers vlak bij elkaar te liggen op het zuidelijk halfrond. Die paar centimeters op

Wijngaard en schapen: belangrijke Nieuw-Zeelandse troeven

de kaart betekenen in werkelijkheid echter een afstand van zo'n 1600 kilometer – ongeveer dezelfde afstand als tussen Parijs en Noord-Afrika. Bovendien verschillen de natuurlijke omstandigheden in beide landen enorm.

In Nieuw-Zeeland worden klimaat en weer in hoge mate bepaald door de bijzondere ligging van dit uit twee grote eilanden bestaande land. Het is omgeven door de Tasmanzee en de Stille Oceaan met zijn koude golfstroom. Nieuw-Zeeland heeft daardoor een uitgesproken zeeklimaat, met gematigde temperaturen en – op de meeste plaatsen – de nodige neerslag. Een heel positieve factor is ook het intense zonlicht, zo belangrijk voor de groei en de rijping van fruit.

In vergelijking met Australië lijkt Nieuw-Zeeland een tamelijk klein land. Maar ook in dit geval bedriegt de schijn. Tussen het noordelijkste en zuidelijkste wijngebied ligt 1200 kilometer. Dat heeft natuurlijk gevolgen voor het klimaat en de aanplant. Hoe verder je naar het noorden gaat, hoe warmer het wordt, en hoe verder naar het zuiden, hoe koeler. De wijngaarden in Central Otago zijn trouwens de meest zuidelijk gelegen wijngaarden ter wereld. En, uitgaande van de datumgrens, ook de meest oostelijke. Al doet dat er voor de wijn niets toe.

Marlborough aan kop

Nieuw-Zeeland wordt vanwege zijn spectaculaire landschappelijke schoonheid wel eens getypeerd als *clean and green*. Dat is een typering die ook naadloos van toepassing is op de belangrijkste wijn die het land produceert: Sauvignon Blanc. Sauvignon Blanc uit Marlborough, om precies te zijn. Marlborough ligt aan de koele, zonnige noordkust van het Zuidereiland. Tot nog maar enkele decennia geleden graasden hier schapen. Na de aanleg van de eerste wijngaard in 1973 is dat ingrijpend veranderd. Al snel liet Marlborough 'oudere' gebieden – voor zover je dat zo kunt zeggen – op het Noordereiland achter zich. Van de druif müller-thurgau, in de vroege jaren van de Nieuw-Zeelandse wijnbouw zo populair, is sindsdien weinig meer vernomen.

De wijnregio Marlborough behapt tegenwoordig in zijn eentje twee derde van de totale Nieuw-Zeelandse aanplant en is

Wijngaard in Marlborough

goed voor drie kwart van de nationale wijnexport. Allemaal dankzij die sauvignon blanc. ˙

Herkenbare Sauvignon

Franse gebieden als Bordeaux en de Loire mogen graag bekvechten over welk van de twee de ware bakermat van de sauvignon blanc is, maar in Nieuw-Zeeland heeft dit ras zich ondertussen ontpopt als nationale druif. Ruim de helft van de wijngaarden staat er vol mee.

Nieuw-Zeelandse Sauvignon als wijn is

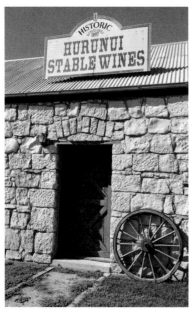
Historisch wijnbedrijf

hout voor de opvoeding, maar het basis-recept blijft simpel: 100% sauvignon op roestvrij staal.

Dankzij de ideale Nieuw-Zeelandse groei-condities voor de druiven krijgt deze wijn zijn eigen, zo typische karakter, dat hem heel goed doet smaken bij oesters, sushi, sashimi en groentegerechten.

Witte alternatieven

Hoe succesvol de Nieuw-Zeelanders ook met hun Sauvignon uit Marlborough zijn – de wijn is zelfs een internationaal stijl-icoon geworden – ze beginnen te beseffen dat de grote afhankelijkheid van maar één type wijn risico's met zich meebrengt. Ze proberen daarom ook met andere druiven en regio's aan de weg te timmeren. Bijna vanzelfsprekend hoort chardonnay, de we-reldburger onder de witte rassen, daarbij. Waar groeit deze druif eigenlijk niet? In Nieuw-Zeeland doet hij het goed in gebie-den als Hawke's Bay en Gisborne, allebei op het Noordereiland.

Maar de lijst met witte rassen is nog veel langer, met onder andere riesling, gewürz-traminer, de sterk aan populariteit win-nende pinot gris en een paar opvallende nieuwkomers in de vorm van Spaanse albariño en Oostenrijkse grüner veltliner.

vrijwel altijd herkenbaar aan zijn uitge-sproken aroma. Er zit meestal een groen element in en regelmatig vallen termen als gras, groene asperges en kruisbes. In zijn smaak is de wijn knisperend droog, wat hem in combinatie met levendige zuren een pittige beet geeft. Een enkele produ-cent mengt naar het voorbeeld van witte Bordeaux wel eens een paar procent wijn van de druif sémillon mee of gebruikt wat

Sprankelend

Nieuw-Zeelandse wijn is in overgrote meerderheid wit, in mindere mate rood en maar hoogstzelden rosé of zoet. Een echte aanrader uit de hoek van de 'nichewijnen' is de Nieuw-Zeelandse *sparkling wine*, mousserend dus. Vergeleken met champagne, cava of spumante stelt de omvang van de productie op wereldschaal niet zoveel voor, maar de kwaliteit kan opmerkelijk goed zijn. De mousserende wijnen worden gemaakt volgens de 'klassieke methode', dus met een tweede gisting in de fles, waarbij de belletjes (en extra smaak) ontstaan.

Jonge aanplant in Central Otago

Hagelnetten in Marlborough

Serieus wijntoerisme

Toegegeven, Nieuw-Zeeland is geen wijntoeristische bestemming die naast de deur ligt of zich leent voor een verkenning in een lang weekend. Maar eenmaal ter plaatse vergeet je de eindeloos lange vlucht snel genoeg. Het schitterende landschap alleen al is de reis dubbel en dwars waard. En er is meer. Wijnbedrijven maken serieus werk van wijntoerisme en zijn zeer bezoekersvriendelijk. Je kunt overal proeven en er zijn vaak uitstekende restaurants, te vergelijken met die in Californië en Zuid-Afrika.

De productie ervan is voorlopig nog heel klein en de wijnen zijn buiten Nieuw-Zeeland nauwelijks verkrijgbaar. Maar wie weet. Sauvignon Blanc was nog niet zo heel lang geleden ook een marginaal verschijnsel.

Verrassend rood

Nieuw-Zeeland mag een uitgesproken wit wijnland zijn, het heeft ook een paar sterke rode troeven. Het heeft zelfs zo'n internationale naam hoog te houden met zijn Pinot Noir, dat daaraan een speciaal festival in de hoofdstad Wellington gewijd wordt. Net als sauvignon blanc is pinot noir een druif waarvoor je op het koelere Zuidereiland moet zijn. Hij is daar op zijn best in Central Otago. Omgeven door bergen is het er koel en droog, en de oogst kan er tot in juni (= december in Europa) duren. De wijnen zijn daardoor heel intens van smaak.

Behalve de Bourgondische pinot noir zijn in Nieuw-Zeeland ook Bordeauxrassen aangeplant als merlot, cabernet sauvignon en malbec. Die staan dan weer op het warmere Noordereiland, waar ze veelal verwerkt worden tot blends à la Bordeaux. Er wordt ook syrah geteeld en er bestaan hoge verwachtingen van de wijnen van

Stalen tanks en eiken vaten bij Cloudy Bay

deze blauwe Zuid-Franse druif. Vooral die uit Hawke's Bay zijn het opsporen waard.

100% duurzaam

Clean and green is in Nieuw-Zeeland geen kwestie van alleen woorden, maar ook van daden. Ondanks de explosieve groei van de afgelopen twintig jaar speelt duurzaamheid al vanaf het eind van de jaren negentig een belangrijke rol binnen de wijnbouw. Sterker nog, het is verheven tot een speerpunt in de marketing van het land, dat het zuivere imago natuurlijk graag koestert. Van alle Nieuw-Zeelandse wijngaarden is momenteel niet minder dan 94% officieel gecertificeerd als duurzaam. Het doel is om daar uiteindelijk 100% van te maken.

Nieuw-Zeeland kort

- Aanplant: 34.000 ha
- Aantal bedrijven: 700
- Aantal wijnregio's: 10
- Belangrijkste wijngebieden Noordereiland: Hawke's Bay, Gisborne, Wairarapa
- Belangrijkste wijngebieden Zuidereiland: Marlborough, Canterbury & Waipara, Central Otago
- Aandeel witte wijn: 78%
- Aandeel rode wijn: 22%
- Belangrijkste witte druivenrassen: sauvignon blanc, chardonnay
- Belangrijkste blauwe druivenrassen: pinot noir, merlot

Speels en fruitig, sappig en fris

Pinot grigio, de naam die Italianen geven aan de druif pinot gris, is de afgelopen jaren wereldwijd uitgegroeid tot een begrip. Pinot Gris is krachtig en dik; Pinot Grigio staat voor speels en fruitig, dus een lichtvoetiger stijl. De afgelopen jaren heeft de druif pinot grigio aan terrein gewonnen als leverancier van wijnen waarvoor men met name in Azië veel belangstelling heeft, omdat de wijnen goed passen bij de lokale keuken. Het maken van dit type wijn is bepaald niet beperkt tot Italië alleen. Nieuw-Zeelandse producenten blijken er ook erg goed in te zijn, uiteraard met behulp van hun uitgesproken gunstige (want lekker frisse) klimaat. De streek Marlborough, op het Zuidereiland, is er ongetwijfeld het meest geschikt voor. Deze wijn wordt gemaakt in een mooi droge stijl, sappig en fris, met perzik, meloen, abrikoos en gele pruim. Geen gebrek aan fruit dus. Bloemig, stijlvol, niet snoepjesachtig, voedselvriendelijk. Een schoolvoorbeeld van een heerlijke, klassieke Pinot Grigio.

Brancott Estate • Pinot Grigio • Marlborough
🍇 pinot grigio

€ 7 tot € 8   AH Wijndomein, Albert Heijn

De nieuwe klassieker: lichtvoetige Pinot Noir

Toegegeven, Nieuw-Zeeland staat vooral bekend als producent van Sauvignon Blanc. Maar Pinot Noir is inmiddels uitgegroeid tot het onbetwiste visitekaartje als het om rood gaat. Vooral op het Zuidereiland heerst een ideaal klimaat voor de productie van wijn van de veeleisende druif pinot noir. Het is er niet alleen relatief koel, maar er zijn ook grote verschillen tussen de temperaturen overdag en 's nachts, waardoor de druiven (en de wijnen) hun aroma's en zuren behouden. De South Island Pinot Noir van Brancott is een puike representant van de typisch Nieuw-Zeelandse Pinotstijl, die we hebben leren waarderen door zijn prachtige, intense fruit. In de geur direct al verleidelijk rood fruit, kersen vooral. Elegant en lichtvoetig van smaak, met goede zuren: zo'n Pinot Noir die je ook rustig bij vis kunt schenken. Dit maakt Pinot Noir tot de 'nieuwe klassieker' van de Nieuw-Zeelandse wijnbouw en dat is een positieve ontwikkeling.

Brancott Estate • Pinot Noir • South Island
🍇 pinot noir

€ 8 tot € 9　　AH Wijndomein, Albert Heijn

Jong talent maakt voortreffelijk glas rood

De wijnen van Nieuw-Zeeland zijn niet altijd afkomstig van lang gevestigde namen. De wijnmaker van Flaxbourne is een prima voorbeeld. Peter Yealands is een man die heeft laten zien van vele markten thuis te zijn. Of liever: van vele ambachten. Ooit deed hij in landbouwmachines, daarna in mosselen en weer later in druiventeelt voor grote bedrijven. Nu maakt hij zijn eigen wijnen en ook dat gaat hem goed af, getuige het succes van zijn Yealands Estate. Het wijn maken bij Flaxbourne laat hij over aan het jonge talent Tamra Washington. Bij de Flaxbourne Pinot Noir heeft zij ervoor gekozen om druiven uit verschillende wijnstreken van het Zuidereiland te mengen tot een mooie blend. Dit levert een voortreffelijk glas rode wijn op, voor een schappelijke prijs. Behoorlijk krachtig, met rode kersen en aardbeien, een licht rokerige toets, fijne zuren en een harmonieuze afdronk.

Flaxbourne • Pinot Noir • South Island
🍇 pinot noir

€ 7 tot € 8   AH Wijndomein, Albert Heijn

Hét succesnummer van Nieuw-Zeeland: sappige Sauvignon Blanc

Wat is precies het geheim van Marlborough? Dat is de nabijheid van veel koud water, zodat de temperatuur in de zomer nooit extreem hoog wordt. Een maximumtemperatuur van 25 °C is al veel. De gemiddelde temperatuur in het groeiseizoen is in Marlborough en Sancerre vrijwel gelijk, maar de druiven worden in Marlborough later geoogst. Het lange groeiseizoen geeft ze mateloos veel smaak. Daardoor is Sauvignon uit Marlborough hét succesnummer van de Nieuw-Zeelandse wijnindustrie. Hij maakt het leeuwendeel uit van de wereldwijde export: 60% van alle Nieuw-Zeelandse wijn is Sauvignon Blanc uit Marlborough. Het lekkerst zijn de wijnen van druiven die niet al te 'groen' geplukt zijn. Zoals deze wijn van Flaxbourne. In de neus heeft hij zowel iets grassigs als iets exotisch (in de vorm van passievrucht). Dat vult elkaar prima aan. Ook de smaak is volgens het boekje: lekker sappig, voorzien van speelse zuren, een vleugje buxus en kruisbes. Sauvignon zoals het hoort.

Flaxbourne · Sauvignon Blanc · Marlborough
🐑 sauvignon blanc

€ 6 tot € 7   AH Wijndomein, Albert Heijn

Laat maar komen:
frisse, fruitige Pinot Noir

Marlborough zag de afgelopen jaren een hele stoet nieuwkomers arriveren, die allemaal hun graantje van het wijnsucces wilden meepikken. De wijnstokken leken immers tot in de hemel te groeien. Maar de eerste avonturiers zijn intussen weer platzak vertrokken. Want ook in Marlborough heeft de crisis inmiddels genadeloos toegeslagen. Gebleven zijn bedrijven van het eerste uur, zoals Giesen. Dat begon al in 1981, een jaar dat in de Nieuw-Zeelandse wijnbouw nog tot de prehistorie behoort. Pinot noir is echter een succesverhaal van de afgelopen jaren. In eerste instantie werd deze druif aangeplant voor het maken van mousserende wijnen. Dat werd geen groot succes, zodat de overstap naar stille rode wijn logisch was. En dat werkte perfect, want wereldwijd is er veel vraag naar lekkere Pinot Noir. En dit is er zo eentje. Licht van kleur, rood fruit, niet zoet, fris, elegant. In één woord: voortreffelijk.

Giesen • Estate Pinot Noir • Marlborough
🍇 pinot noir

€ 9 tot € 10   Jumbo

Rijpe Sauvignon Blanc met veel sap

Waarom bijna alle Nieuw-Zeelandse Sauvignon Blanc – en dat zijn nogal wat hectoliters – uit Marlborough komt? Dat heeft vooral te maken met het juiste, gematigde klimaat in het noorden van het Zuidereiland. Het klimaat lijkt er sterk op dat van de bovenloop van de Loire, in het bijzonder Sancerre. Daar vind je de bakermat van de sauvignon blanc. In Marlborough en in Sancerre rijpt deze druif heel langzaam, zodat hij veel smaak en aroma ontwikkelt. Dat maakt het ook mogelijk om de druiven in verschillende stadia van rijpheid te plukken, van groen tot exotisch. Op het warmere Noordereiland is dat veel moeilijker. Voor de liefhebber is het gunstig dat de prijzen van Nieuw-Zeelandse Sauvignons de afgelopen jaren flink naar beneden zijn gegaan. Een mooi voorbeeld is de Ten Rocks: een lekkere Sauvignon, die niet dat onrijpe grassige heeft, maar behoorlijk wat sappigheid. Voor een groot, prijsbewust publiek.

Ten Rocks • Sauvignon Blanc • Marlborough
🍇 sauvignon blanc

€ 6 tot € 7   Hema

Knappe prestatie, deze voorbeeldig mooie Chardonnay

Voor de wijnboeren uit Nieuw-Zeeland is het nog wel eens frustrerend dat de wijndrinker het land bijna alleen maar associeert met Sauvignon Blanc en met het wijngebied Marlborough op het Zuidereiland. Want er is zoveel meer smakelijks te vinden in Nieuw-Zeeland. Op het Noordereiland bijvoorbeeld is Hawke's Bay een uitstekend wijngebied, met prachtige rode wijnen en mooie Chardonnays. De wijnen krijgen hun bijzondere karakter door een ondergrond met grote rivierkeien, de Gimblett Gravels. Omdat het klimaat hier warmer is dan in Marlborough krijgen de wijnen een fraaie diepgang en rijkdom. Vidal produceert er een heel smakelijke Chardonnay. Tropisch fruit, lichte toast van het hout, breed, vulling, 13,5% alcohol, eersteklas zuren. Geen overbodige opmaak, voorbeeldige balans. Knappe prestatie. We denken aan vis met een beurre blanc, gerookte zalm of kipsalade. Dit type Chardonnay heeft alles om uit te groeien tot de nieuwe klassieker van Nieuw-Zeeland.

Vidal Estate • White Series Chardonnay • Hawke's Bay
🍇 chardonnay

€ 9 tot € 10   Mitra

Absolute topper met tintelende citruszuren

Zo groot en dan nog steeds familiebedrijf: Villa Maria laat zien dat het kan, en hoe. George Fistonich, afstammeling van een Kroatische familie, bouwde het in een kleine vijftig jaar uit tot wat het nu is, een van de top 5-wijnbedrijven van Nieuw-Zeeland, altijd met een sterke focus op kwaliteit. De afgelopen jaren is het accent gelegd op nieuwe wijnen en nieuwe druiven. Maar Sauvignon Blanc is en blijft een van de klassiekers van dit bedrijf, en de zeer betrouwbare Private Bin blijft de meest verkochte wijn. Hij dankt zijn populariteit aan een combinatie van grassigheid met rijp tropisch fruit, hét handelsmerk van Sauvignon Blanc uit Marlborough. Villa Maria's interpretatie bevalt ons. Deze wijn biedt het ideale evenwicht tussen de voor Nieuw-Zeeland kenmerkende grassigheid en buxus enerzijds en tropische aroma's, zoals passievrucht en guave, anderzijds. Daarnaast heeft hij tintelende citruszuren en een lange afdronk. Een absolute topper, elk jaar weer.

Villa Maria • Sauvignon Blanc Private Bin • Marlborough
🍇 sauvignon blanc

€ 9 tot € 10   Coop, CoopCompact, Dirck III, Hoogvliet, Jumbo, Plus, SuperCoop, Vomar

Bij Oostenrijk denk je aan bergen, klassieke muziek en schnitzel uit Wenen, idyllisch platteland met barokke kerkjes en klederdracht, en wijn. Wijn die zo modern is als maar kan. Flessen uit Oostenrijk kun je al op afstand in het schap herkennen aan de rood-wit-rode Oostenrijkse vlag boven op de dop. Ook de inhoud van die flessen is heel herkenbaar. Weinig andere wijnlanden krijgen het voor elkaar zo'n constante hoge gemiddelde kwaliteit te produceren.

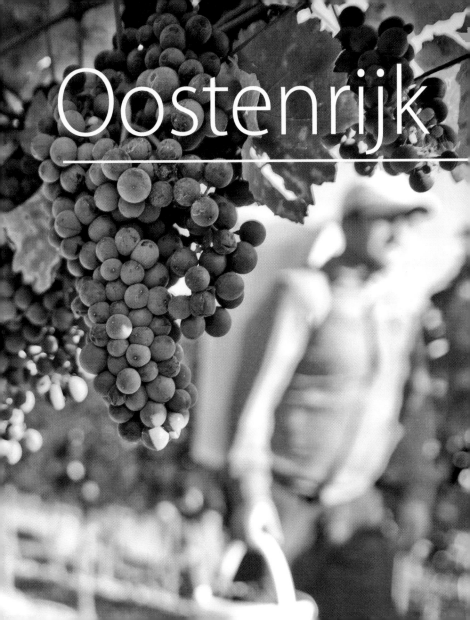

Oostenrijk

Oostenrijk is een van de weinige wijnlanden die aan alle kanten begrensd worden door andere wijnproducerende landen. Het zijn er niet minder dan acht: Zwitserland, Duitsland, Tsjechië, Slowakije, Hongarije, Slovenië, Italië en Liechtenstein. Een unieke situatie. En Oostenrijk heeft meer bijzonders.

Een blik op de kaart laat zien dat de wijngebieden van Oostenrijk aan de oostelijke en zuidoostelijke randen van het land liggen, met Wenen als scharnierpunt. De rest van het land is door het bergachtige karakter niet geschikt voor wijnbouw. Alles bij elkaar telt Oostenrijk bijna 46.000 hectare wijngaarden. Ter vergelijking: Duitsland en Zuid-Afrika hebben allebei circa 100.000 hectare. Aangezien de omvang van de wijnproductie beperkt is en Oostenrijkers zelf enthousiaste drinkers van wijn uit eigen land zijn, hoeven de meeste producenten zich geen zorgen te maken over hun afzet. Voeg daaraan toe dat de gemiddelde kwaliteit zeer hoog is en je hebt het antwoord op de vraag waarom wijnen uit Oostenrijk nooit spotgoedkoop zijn.

Typerend voor de Oostenrijkse wijnbouw is kleinschaligheid. Echt grote bedrijven, inclusief coöperaties, zijn er nauwelijks; kleine individuele producenten des te meer. Nog een interessant gegeven: binnen Europa is Oostenrijk koploper in het gebruik van schroefdoppen. Zuiverheid gaat namelijk voor alles.

Wijnregio's

Oostenrijk is officieel onderverdeeld in vier overkoepelende regio's, met daarbinnen afzonderlijke herkomstbenamingen (zie ook kader). Het gaat om twee grote regio's, een kleine regio en een héél kleine.

De belangrijkste is Niederösterreich, goed voor meer dan de helft van alle Oostenrijkse wijnen. Het ligt hoofdzakelijk ten noorden van de Donau en om Wenen heen. Ten noorden van de stad strekt het zich uit tot aan de grens met Tsjechië, ten oosten ervan tot Slowakije.

Burgenland is het op een na belangrijkste gebied. Meer nog dan Niederösterreich is het letterlijk en figuurlijk een grensgeval. Ten tijde van de Habsburgse Dubbelmonarchie behoorde het formeel tot Hongarije. Pas na de Eerste Wereldoorlog werd het Oostenrijks, op de enclave rond Sopron na.

Helemaal in het diepe zuidoosten van Oostenrijk ligt de derde wijnregio, de Steiermark. Alweer een grensgeval, want op sommige plaatsen liggen daar aan de ene kant van de weg wijngaarden op Oostenrijks grondgebied en aan de andere kant van de weg op Sloveens gebied, waar men Štajerska zegt in plaats van Steiermark.

De laatste Oostenrijkse wijnregio is Wenen. De kleinste van de vier, maar wel een heel bijzondere. Wenen is de enige miljoenenstad in de wereld met de officiële status van wijngebied. Neem vanuit het centrum de tram tot aan het eindpunt en je loopt zo de wijngaarden in.

Vogelverschrikker in de Steiermark

Groovy Gru

Het eerste waar je bij Oostenrijk aan denkt, is witte wijn. Terecht, want de meeste wijnen zijn inderdaad wit. Het tweede waar je dan aan denkt, is Grüner Veltliner, verreweg de meest geproduceerde Oostenrijkse witte wijn. De Oostenrijkers hebben er de afgelopen jaren geen misverstand over laten bestaan dat de grüner veltliner hun 'nationale' druif is en Grüner hun paradewijn. Gelijk hebben ze, want buiten Oostenrijk kom je 'm eigenlijk alleen maar als curiositeit tegen. Sommige wijndrinkers vinden de naam lastig. Voor de Engelstalige medemens is er, om het makkelijker te maken, de hippe term *Groovy Gru*, voor francofielen *Grand Grü*. Wij Nederlanders moeten het daar ook mee doen.

DNA-onderzoek heeft uitgewezen dat grüner veltliner geboren is als een spontane kruising tussen de obscure druiven st. georgener en traminer. Of de traminer iets te maken heeft met de plaats Tramin in Südtirol, is vraag twee. Met als vraag drie in hoeverre 'veltliner' iets te maken heeft met het Noord-Italiaanse Valtellina. Maar wat doet dat er eigenlijk toe? Veel belangrijker is hoe de wijn vandaag de dag smaakt.

Wenen gezien vanaf de Nussberg

Alleskunner

Je leest vaak dat wijn van grüner veltliner te herkennen zou zijn aan een 'pepertje'. In werkelijkheid ligt dat wat genuanceerder. Dat pepertje – op z'n Oostenrijks-Duits *Pfefferl* – kom je zeker tegen in menige wijn uit het relatief koele Weinviertel, de streek tussen Wenen en de Tsjechische grens. In de wijnen uit prestigieuzere en warmere gebieden langs de Donau, zoals Wachau, Kremstal en Kamptal, is het echter eerder uitzondering

Wijngaard Achleiten in de Wachau

dan regel. Dat pepertje heeft namelijk meer te maken met de mate van rijpheid van de druiven dan met de basiseigenschappen van de druif zelf. Wat wel vaststaat, is dat grüner veltliner thuishoort in de categorie van niet-aromatische rassen, net als bijvoorbeeld chardonnay en pinot blanc. Bovendien komt er geen hout aan te pas als 'smaakmaker'. Daardoor is de wijn breed inzetbaar. Om op zichzelf te drinken of als veelzijdige etensbegeleider. Of het nu om asperges of zeebaars gaat, Europees of oosters bereide gerechten (sushi, sashimi), hij smaakt altijd.

Meer wit

Hoe gezichtsbepalend Grüner Veltliner ook is, Oostenrijk heeft nog heel wat meer te bieden. Voor wit alleen al zijn 24 verschillende rassen toegestaan. Een echte troef is Riesling. Qua volume is zijn rol heel bescheiden, maar in kwalitatief opzicht is dit een kampioen. In Oostenrijk zie je droge Rieslings onder meer in Wachau, Kremstal en Kamptal.

Hoewel riesling vrijwel alleen langs de Donau staat aangeplant, spreken Oostenrijkers van 'rheinriesling'. Dat doen ze om de druif te onderscheiden van de

Barok wijnkasteeltje

welschriesling, die in het Burgenland veel te vinden is. En dat is een druif die niets heeft uit te staan met 'echte' riesling: hij is van Italiaanse origine, terwijl de bakermat van de echte riesling de Duitse Rheingau is.

Nog een druif die in Oostenrijk excelleert, is sauvignon blanc. Verrassend wellicht, niet echt Oostenrijks, maar wel dé specialiteit van de Steiermark.

Rijzende ster: rood

Evenals buurland Duitsland staat Oostenrijk te boek als een wit wijnland. In principe terecht, maar wel met de

DAC

Op steeds meer Oostenrijkse etiketten zie je de term DAC, afkorting van het Latijnse *Districtus Austriae Controllatus*. Die benaming staat voor een gereglementeerd en gecontroleerd type wijn, gemaakt van een of twee druivenrassen die kenmerkend zijn voor een specifiek gebied. Voor de DAC Kamptal zijn dat bijvoorbeeld grüner veltliner en riesling. Het concept is vergelijkbaar met dat voor Franse *appellations*, Italiaanse *denominazioni* en Spaanse *denominaciones*. Er zijn inmiddels zeven officieel erkende DAC's en naar verwachting zal dat aantal de komende jaren toenemen. Oostenrijks meest prestigieuze wijngebied, de Wachau, zal daar hoogstwaarschijnlijk niet bij zijn, want dat heeft al een eigen kwaliteitssysteem. Daarin wordt onderscheid gemaakt tussen drie typen droge wijn. Van licht naar krachtig zijn dat Steinfeder, Federspiel en Smaragd.

ausgezeichneter **Heuriger**

Wijncultuur

Al sinds eeuwen is de Oostenrijkse wijncultuur nauw verbonden met het verschijnsel *Heuriger* (meervoud: *Heurige*). Een Heuriger is een wijngoed dat zijn eigen jonge wijn uitschenkt aan bezoekers. Vast onderdeel vormt ook het eten: eenvoudige, maar smakelijke kost. Je vindt Heurige met tientallen tegelijk in de buitenwijken van Wenen, maar ook in andere wijngebieden. De tijd dat er in deze schenkgelegenheden alleen maar heel simpele wijnen in het glas kwamen, is voorbij. Ook op dit vlak heeft Oostenrijk een opmerkelijke inhaalslag gemaakt. Bezoekers aan Wenen kunnen als ze dat willen overigens ook in het centrum blijven, want de Oostenrijkse hoofdstad biedt tegenwoordig onderdak aan een aantal voortreffelijke wijnbars.

aantekening dat rode wijnen, net als in Duitsland, de afgelopen jaren sterk aan populariteit én kwaliteit gewonnen hebben. Toeval of niet, in beide landen is de verhouding wit-rood momenteel twee derde om een derde.

De meeste Oostenrijkse rode wijnen komen uit Burgenland. Ze worden vooral gemaakt van 'eigen' druivenrassen, zoals de populaire zweigelt, st. laurent en blaufränkisch, waarbij overigens de laatste twee de 'ouders' zijn van de eerste. Zweigelt en st. laurent vertonen overeenkomsten met pinot noir en de wijnen ervan

Wijnkelder bij de Neusiedlersee

zijn echte charmeurs, fruitig en soepel. Die van blaufränkisch zijn meer van het stevige type, met de nodige 'beet'. Anders dan bij de witte wijnen, die vrijwel altijd van één druivenras gemaakt worden, vind je bij rood regelmatig cuvées (blends) van diverse rassen.

Edelzoet

Witte en rode Oostenrijkse wijnen zijn doorgaans droog van smaak. Tenminste, tegenwoordig. Tot ver in de twintigste eeuw waren er namelijk heel wat min of meer zoete versies op de markt. Maar na de dramatische gebeurtenissen van 1985 is droog de regel geworden en zoet de uitzondering. Beroemd zijn de weelderig zoete wijnen uit de wijngaarden bij de Neusiedlersee in Burgenland. Langs de oevers van dit ondiepe steppemeer vormt zich in de herfst namelijk ieder jaar edele rotting (zie hoofdstuk Duitsland) op de druiven. En dat resulteert in dikke, honingachtige wijnen, die zonder overdrijven getypeerd kunnen worden als vloeibaar goud.

Oostenrijk kort

- Aanplant: 46.000 ha
- Aantal wijnboeren: 20.000
- Aantal zelfbottelende bedrijven: 6500
- Aandeel witte wijn: 66%
- Belangrijkste witte druivenrassen: grüner veltliner, riesling
- Aandeel rode wijn: 34%
- Belangrijkste blauwe druivenrassen: zweigelt, blaufränkisch
- Overkoepelende wijngebieden: Niederösterreich, Burgenland, Steiermark, Wenen (Wien)
- Aantal specifieke wijngebieden: 16
- Aantal DAC's: 7

Een bijzondere, klassieke Riesling

Riesling is de klassieke Duitse druif, die in zijn vaderland prachtige wijnen oplevert, met mooie zuren. Maar riesling kan ook elders floreren, zoals in Oostenrijk. Daar levert hij wijnen op die iets voller en krachtiger zijn dan in bekende Duitse wijngebieden als de Mosel. Niet zo vreemd. De invloed van het landklimaat is hier sterker en de wijngaarden zijn dan ook een tikje warmer. De mooiste exemplaren vinden we in het 'supertrio' wijngebieden langs de Donau: Wachau, Kremstal en Kamptal. Kremstal, genoemd naar de stad en de rivier Krems, is het middelste van dit trio. Na de grüner veltliner neemt de rheinriesling (de 'echte' riesling) hier een prominente plaats in. Dat staat garant voor mooie wijnklassiekers, zoals deze bijzondere wijn, met rijp fruit, mineralen en fijne peper. Filmende smaak, perzik, honing, maar ook pikante citroen. Heel gastronomisch. Een bijzondere versie van de Riesling, klassiek in alle opzichten.

Berger • Riesling Spiegel • Kremstal
🍇 riesling

€ 8 tot € 9   AH Wijndomein

Onweerstaanbaar lekker, deze Grüner Veltliner uit de Wachau

Grüner Veltliner uit Oostenrijk heeft zich de afgelopen jaren weten te ontwikkelen tot een echte evergreen. *What's in a name...* Dit is er een van Domäne Wachau. Dat klinkt als de naam van een wijngoed, maar in werkelijkheid is het een coöperatie. En niet zomaar een, want het bedrijf geniet internationale faam vanwege de fantastische kwaliteit van zijn wijnen. De Wachau is een vrij klein, maar kwalitatief uitzonderlijk gebied langs de oevers van de Donau. Het is het meest prestigieuze gebied van heel Oostenrijk en vanwege zijn landschappelijk schoon ook nog eens door UNESCO geclassificeerd als Werelderfgoed. De druif grüner veltliner is er koning. Deze wijn heeft een loepzuivere geur, met grapefruit en perzik in de smaak. En niet te vergeten het markante pepertje. Onweerstaanbaar lekker. Een tijdloze wijn, die de afgelopen jaren veel indruk heeft achtergelaten.

Domäne Wachau • Grüner Veltliner • Wachau
🍇 grüner veltliner

€ 6 tot € 7   HEMA

Om gekoeld te drinken: een aangenaam fruitige Zweigelt

Ooit was er veel vraag naar rode wijnen met veel kracht. Maar de afgelopen jaren is daar verandering in gekomen. Elegante rode wijnen zijn in opmars, donker en tegelijk sappig, geschikt om licht gekoeld te drinken. Daar weten ze in de Wachau wel raad mee. Rode wijn maken kun je sowieso wel aan Oostenrijkers overlaten. Ze beheersen dat onderdeel van het vak inmiddels net zo goed als het maken van eersteklas wit. Zweigelt, ook wel blauer zweigelt genoemd, is typisch Oostenrijks. Het is in Oostenrijk ook het meest aangeplante druivenras voor rode wijn. Zweigelt werd in 1922 door professor Zweigelt ontwikkeld als kruising tussen st. laurent en blaufränkisch, ook twee typisch Oostenrijkse rassen. In het glas hier een Zweigelt volgens het boekje, met aangenaam rood fruit, een beetje peper en kruidigheid. Fris, licht tintelend, weinig tannine. Drink 'm goed gekoeld. Smakelijke wijn voor een mooie prijs.

Domäne Wachau · Zweigelt · Wachau
🍇 zweigelt

€ 6 tot € 7   HEMA

Een geweldig en tijdloos glas wit

In de bijna 25 jaar van de *Wijnalmanak* is er een duidelijke verschuiving opgetreden in de wijnsmaak. Zo'n twintig jaar geleden moesten witte wijnen vooral droog zijn. Tegenwoordig is er meer vraag naar iets rondere wijnen. In naam zijn ze droog, maar ze zijn ook zacht van karakter, zodat ze niet heel erg strak overkomen. Dat is exact de reden dat wijnen als deze zo populair zijn. Hij is afkomstig van het wijngoed Müllner, van de bijzondere wijngaard Spiegel bij wijnstad Krems. Juist dit soort warme wijngaarden levert een type Grüner Veltliner op met veel kracht en rondeur, een echte witte wijn van deze tijd. Hij is subtiel en mollig. Peperig, maar je ruikt ook meloen, gele pruimen en kweepeer. Typisch Grüner Veltliner. Een geweldig glas wit, dat de tand des tijds probleemloos doorstaat. We zullen dan ook nog veel van deze wijn en andere Grüner Veltliners horen.

Johann Müllner • Spiegel Grüner Veltliner • Kremstal
🍇 grüner veltliner

€ **8 tot € 9**　LFE

Josef en Martina maken een pure, spannende wijn

Oostenrijk op z'n best. Grüner Veltliner uit Wagram (tot 2007: Donauland), een gebied even ten westen van Wenen. Dit *Weingut* ligt zo'n 45 kilometer van de Oostenrijkse hoofdstad. Josef is de derde generatie wijnbouwer van zijn familie. Samen met zijn vrouw Martina maakt hij wijn met veel respect voor de natuur. Ze werken biologisch. Josef en zijn vrouw gaan daar ver in: 'Wij observeren slechts en wij respecteren daarbij de omstandigheden in de wijngaard. De zon, regen en natuurlijk onze druiven. Alleen in harmonie met de natuur kunnen wij het beste uit onze wijngaarden halen. In de wijnkelder voeren we deze filosofie door. We ondersteunen de eigen persoonlijkheid van onze wijnen zonder ze een specifieke kant op te dwingen.' In dit geval betekent dat puurheid ten top. Aromatisch, breed, sappig, snufje groene peper, droog maar niet strakdroog. Lekker vol ook, met mooie zuren en bitters voor de spanning. Wijn waarin iets gebeurt.

Josef Ehmoser • Von den Terrassen Grüner Veltliner • Wagram
🍇 grüner veltliner

€ 9 tot € 10   Léon Colaris

Verrassend mooie Chardonnay met zacht wit fruit

Chardonnay is misschien wel de meest klassieke van alle witte druivenrassen. Zijn faam is gevestigd door de grote witte wijnen van de Bourgogne. Inmiddels staat de chardonnay werkelijk overal ter wereld aangeplant. En het blijkt ook dat er overal ter wereld mooie wijnen van kunnen worden gemaakt. Het voordeel van het klimaat in Carnuntum is dat het een zekere frisheid heeft, wat zorgt voor wijnen met mooie zuren. Het naar een Romeinse legerplaats genoemde wijngebied Carnuntum ligt ten oosten van Wenen, niet ver van de grens met Hongarije. Hoewel het vooral met rood aan de weg timmert, vind je er ook verrassend wit, zoals de Chardonnay van Markowitsch. Het hoeft in Oostenrijk dus niet per se Veltliner te zijn. Mooie Chardonnay, open, licht getoast, bloemig, zacht wit fruit, breedte, ronding, frisse finale.

Markowitsch • Chardonnay • Carnuntum
🍇 chardonnay

€ 9 tot € 10   Henri Bloem

Ferm en fris,
met minutenlange afdronk

Het Weinviertel, de wijnstreek tussen Wenen en de grens met Tsjechië, staat vol met grüner veltliner. Het is een druif die in dit heuvellandschap wijnen met een eigen karakter oplevert. De hellingen zijn er iets minder warm dan in de beroemde wijngebieden aan de Donau, zoals in de Wachau. Dit zorgt voor een type Grüner Veltliner met wat meer peperigheid. Alleen in warme wijnjaren is de stijl anders en smaken de wijnen ook hier krachtig, rijker en minder peperig. Weingut Prechtl is trots op zijn wijnen met het kleine pepertje, dat zo typerend is voor wijnen uit het Weinviertel. Dit is een smakelijk voorbeeld van wat deze streek te bieden heeft. De wijn is ferm en lichtvoetig tegelijk, tintelfris, met een vleugje groene peper, heerlijk wit fruit, honing en ragfijne zuren. Minutenlange afdronk. Om bij te gaan kwijlen...

Prechtl • Längen Grüner Veltliner vom Löss • Weinviertel
🍇 grüner veltliner

€ 8 tot € 9 Henri Bloem

Lichtvoetige Zweigelt voor wie niet van streng houdt

De Winzer Krems vormen met hun 1480 leden en ongeveer 1000 hectare wijngaarden een van de grootste coöperaties in Oostenrijk. Die wijngaarden liggen grotendeels op lössbodems. Bij Winzer Krems is de belangrijkste druif de grüner veltliner. Deze maakt de helft uit van wat er jaarlijks wordt geoogst. Toch moeten we de andere druiven waarmee de heren en dames *Winzer* werken niet afschrijven. Zo gebruiken ze pinot blanc, pinot gris en deze fijne blauer zweigelt. Het bijzondere aan de beste Oostenrijkse wijnen is dat ze vaak zijn gemaakt van eigen, lokale druivenrassen. De zweigelt is er een van. Zweigelt is niet voor niets uitgegroeid tot een van de populairste wijnen uit Oostenrijk. Hij doet denken aan een krachtige Beaujolais en valt op door zijn rijkdom aan fruit en soepelheid. Deze Zweigelt is ook uitermate geschikt voor mensen die rode wijn soms wat 'streng' vinden. Heerlijk lichtvoetig en smakelijk. Liefst even koelen voor gebruik.

Winzer Krems • Blauer Zweigelt • Niederösterreich
🍇 blauer zweigelt

€ 6 tot € 7   Intercaves, Mitra

Tot op de dag van vandaag hebben de Portugezen niets met de internationaal bekende druivenrassen. Ze hebben bewust de trends genegeerd en vastgehouden aan hun eigen, vertrouwde druiven. Toch is Portugal bepaald geen ouderwets wijnland. De wijnbouw is er afgestoft; de wijnen zijn zuiver en modern.

Portugal

UMA POUSA

De technische innovaties van de laatste decennia waren welkom in Portugal. Maar de wijnmakers koesteren onverkort hun tradities als het om druiven gaat: die moeten Portugees zijn. Dat zorgt ervoor dat hun wijnen toonbeelden van authenticiteit zijn, in een eigentijds jasje. Hoogste tijd dus om Portugal – voor veel wijnliefhebbers nog de Grote Onbekende – de eer te geven die het toekomt.

In technisch opzicht lijken de Portugese wijnen van nu nauwelijks meer op die van pakweg twintig jaar geleden. Toen waren ze nog uitgesproken ruw en boers, nu zijn ze zuiver en uitgebalanceerd. Als wijnland heeft Portugal namelijk een geweldige inhaalslag gemaakt sinds het na de revolutie uit zijn isolement is gekomen en is toegetreden tot de Europese Unie.

Er is grote vooruitgang geboekt in de kelders, met veel aandacht voor zaken als zorgvuldige selectie van de druiven, hygiëne, temperatuurcontrole en dergelijke. Ook zie je een toestroom van hoog opgeleide jonge wijnmakers met internationale ervaring, onder wie veel vrouwen. Wijnen jarenlang op oud hout laten rijpen is er niet meer bij. Roestvrij staal en schoon hout zijn ervoor in de plaats gekomen, terwijl de boerse trekjes in de wijnen opzij gezet zijn voor fruit en zuiverheid – mét behoud van eigenheid.

Opgefrist en afgestoft

De Dourovallei is het beroemdste en grootste wijngebied van heel Portugal. Ook hier zijn veranderingen zichtbaar. Natuurlijk is men er nog steeds trots op de port, een van de werkelijk klassieke wijnen in de wereld. Maar de Douro produceert vandaag de dag behalve port steeds meer geweldig goede, droge tafelwijnen, zowel in rood als in wit.

En kijk eens wat voor gedaanteverwisse-

Uitzicht op Porto Cálem in Vila Nova de Gaia.

ling Vila Nova de Gaia de afgelopen jaren ondergaan heeft. Het ligt op de zuidelijke oever van de Douro, tegenover het stadje Porto, en is van oudsher de vestigings- plaats van de porthuizen. Van stoffig en slaperig veranderde het in fris en uitnodi- gend, met terrasjes langs de rivier en eer- steklas hotels en restaurants.

Een kilometer of 70 verderop langs de Douro, waar de wijngaarden beginnen en waar je nog tot eind twintigste eeuw van de meest elementaire gemakken ver-

stoken was, is iets vergelijkbaars gebeurd. In Pinhão, het regionale centrum van de portstreek, kun je nu in stijl overnachten en eten, met uitzicht op een van de specta- culairste wijnlandschappen van de wereld.

Van koel tot heet

Hoewel het land niet zo groot is, zijn de verschillen in natuurlijke omstandigheden binnen Portugal verrassend groot. Zeker in klimatologisch opzicht, met de Minho in het noorden en de Alentejo in het zuiden als volstrekte tegenpolen. Het eerste gebied is door de invloed van de Atlantische Oceaan koel, vochtig en groen. Het tweede ligt op gelijke hoogte met Zuid-Spanje – hemelsbreed niet zo ver van Afrika – en is warm en droog. En de nog zuidelijkere Algarve dan? Ook daar schijnt de zon uitbundig, maar het wordt er minder warm dan in de aangrenzende Alentejo, door verkoelende invloed van zee.

Heel extreem gaat het eraan toe in het binnenland van de Dourovallei, waar het 's zomers tot wel 40 °C kan worden, terwijl de temperatuur tijdens de barre winters tot onder het vriespunt kan zakken. Gevallen apart zijn het eiland Madeira en de voor wijnproductie minder belangrijke Azoren.

Wijngaard in Alentejo

Kleurrijke druiven

Onder zulke uiteenlopende omstandigheden kun je alleen maar lekkere wijnen produceren van druiven die zich door de eeuwen heen perfect hebben aangepast aan de plaatselijke situatie. In warme gebieden is het bijvoorbeeld van belang dat ze niet te snel last krijgen van droogtestress en een goede zuurgraad behouden. De meeste Portugese wijnboeren hadden tot aan de jaren tachtig van de vorige eeuw overigens geen idee van wat er nou precies in hun wijngaarden stond. Vaak waren er vele tientallen druivenrassen willekeurig door elkaar aangeplant. Druiven met soms prachtige namen als antão vaz en fernão pires of maria gomes. En wat te denken van bastardo ('bastaard'), branco sem nome ('witte zonder naam') of rabo de ovelha ('schapenstaart')?

Een echte nationale druif heeft Portugal niet, wel een druif met *nacional* in de naam: de blauwe touriga nacional. Hoewel zijn aandeel in de aanplant maar heel be-

Traditionele wijnboten (rabelos) op de Douro in Porto.

scheiden is, is het kwalitatief wel een van de allerbeste. Hij speelt een hoofdrol in port en rode Dourowijnen.

Blends bieden extra's

Ook nu druivenrassen tegenwoordig netjes van elkaar gescheiden in afzonderlijke percelen staan, hebben Portugese producenten een sterke voorkeur voor blends, wijnen die samengesteld zijn uit diverse druivenrassen. De achterliggende gedachte is dat in een blend de afzonderlijke componenten elkaar aanvullen, liefst volgens de formule 1+1+1=4. Het bekendste voorbeeld is port. Cépagewijnen of *varietals*, wijnen gemaakt van één druivenras, kom je maar mondjesmaat tegen. Dat dit, afgezien van port, in commercieel opzicht een behoorlijk grote handicap is, neemt men graag voor lief. Wie een simpele Chardonnay of Merlot zoekt, is in Portugal aan het verkeerde adres. Het is eerder een wijnland voor nieuwsgierige liefhebbers.

Rondje Portugal

Laten we een rondje door Portugal maken. We beginnen in het noorden met de streek Vinho Verde, wat letterlijk 'groene wijn' betekent. Dit gebied grenst aan het Spaanse Galicië. Hoewel het veel rood produ-

Rol van kurk

De kurkeikbossen van de Alentejo hebben Portugal tot de grootste kurkproducent ter wereld gemaakt. Het land heeft een derde van alle kurkeiken ter wereld binnen zijn grenzen en neemt ruim 60% van de wereldproductie voor zijn rekening, dubbel zoveel als nummer 2, Spanje.

Ondanks alternatieven als de synthetische kurk, schroefdop en glazen stop is de Portugese natuurkurk nog altijd met afstand de belangrijkste afsluiter voor wijnflessen. Maar eerlijk is eerlijk, ook op dat vlak was de komst van een frisse wind meer dan welkom. Al valt er over de voors en tegens van kurk als afsluiting voor wijnflessen heel wat te discussiëren, onbetwist is de belangrijke rol die kurkeiken spelen bij het ecologisch evenwicht van Zuid-Portugal. Ze voorkomen woestijnvorming en bieden een ideale habitat voor allerlei dieren.

ceert, zijn de tintelfrisse witte wijnen hier het interessantst. Ze worden onder meer gemaakt van de druif alvarinho, die aan de andere kant van de grens succes heeft als albariño.

Wat verder naar het zuiden, ten oosten van de stad Porto, kom je in de Dourovallei. Een diep dal, steile graniethellingen en waar je maar kijkt wijngaarden in terrasvorm. Het is eigenlijk een wonder dat mensen het ooit aangedurfd hebben hier wijnstokken te planten. Dat heeft wel een uniek landschap opgeleverd en al even

unieke wijnen: versterkte zoete port en karaktervolle rode en witte Douro.

Vrij bekende leveranciers van rode wijnen zijn de gebieden Dão en Bairrada, weer iets verder naar het zuiden. In het eerste gebied zijn de wijnen tegenwoordig elegant, met een goede zuurgraad, in het tweede gebied zijn ze vaak heel stoer dankzij de druif baga.

Het warme zuiden

In het midden van Portugal zijn wijngaarden dun gezaaid, maar als je dichter

Zoetekauwen

Ongeveer een op de zes Portugese wijnen valt in de categorie zoet. Het leeuwendeel daarvan is port, maar daarnaast bestaan nog enkele typische specialiteiten in de vorm van madera – al net zo uniek als port, maar nog vaak onderschat – en Moscatel de Setúbal. In vrijwel alle gevallen ondergaan deze zoete wijnen een stevige houtrijping, die in lengte kan variëren van enkele jaren tot vele decennia.

Wijngaarden in de omgeving van Lissabon

bij Lissabon komt, verandert dat. Hier liggen twee grote gebieden met een hoge productie: Tejo (vroeger: Ribatejo) langs de oevers van de Taag en Lisboa (vroeger: Estremadura) ten noorden van de hoofdstad. Hier maakt men van alles; zelfs internationale cépagewijnen.

Steek je bij Lissabon de Taag over, dan kom je uit op het schiereiland van Setúbal, herkomstgebied van Portugals bekendste zoete Moscatel en goede tafelwijnen.

Richting de Spaanse grens ligt het wijngebied Alentejo. Met die Alentejo heeft Portugal een beetje zijn eigen Nieuwe Wereld. We zijn hier in het zuiden van het land, 'aan de andere kant van de Tejo/Taag'. Het is van oudsher een gebied van graanteelt en uitgestrekte kurkeikbossen en sinds de jaren negentig ook van kwaliteitswijnbouw, zowel in wit als rood. Omdat het hier flink warm is, komt de verbeterde keldertechniek goed van pas: ook hier krijgen de wijnen frisheid en fruitigheid mee.

Portugal kort

- Aanplant: 240.000 ha
- Aandeel rode wijn en rosé: 68%
- Aandeel witte wijn: 32%
- Aantal wijnregio's: 14 (inclusief Azoren en Madeira)
- Belangrijke wijngebieden: Vinho Verde, Douro/Porto, Bairrada, Dão, Tejo, Alentejo
- Belangrijke witte druivenrassen: alvarinho, antão vaz, arinto, bical, fernão pires, gouveio, loureiro, rabigato, trajadura
- Belangrijke blauwe druivenrassen: alfrocheiro, aragonez (tempranillo), baga, castelão, tinta barroca, tinta cão, touriga franca, touriga nacional, trincadeira

Krachtige wijn vol zuidelijke zonnewarmte

Nederlanders hebben niet zoveel op met het verorberen van geit. Die valt wat dat betreft in dezelfde categorie als het paard. Toch kun je bij sommige Indonesiërs goede saté van geit krijgen. Restaurant Blauw, in Utrecht en Amsterdam, is daar een voorbeeld van. Verder zie je geit bij islamitische slagers. Dus we zouden een Portugese stoofschotel als *cabrito* prima kunnen aanbevelen bij stoer rood als dit uit Alentejo. Maar een stevig gerecht met eend of confit de canard kan ook heel goed: deze wijn kan wel wat tegenwicht gebruiken. Hij heeft een intense geur, zuidelijke zonnewarmte, is krachtig, met smaken van confiture, vijgen, peper en chocola. Een dikke smaak met aardig wat tannine en zuren. Veel wijn voor je geld. Een echte aanrader voor iedereen die op zoek is naar een lekker stevig glas wijn en een perfect voorbeeld van het type wijn waar Alentejo in uitblinkt.

Adega das Mouras • Talha Real • Vinho Regional Alentejano
🍇 aragonez, trincadeira, alicante bouschet

€ 5 tot € 6   Portugal Wijn Import

De stoere kracht van inheemse druiven

Vandaag de dag wordt in de Dourovallei meer droge wijn gemaakt dan port, de zoete wijn die het gebied wereldberoemd gemaakt heeft. De reputatie van die droge wijnen groeit gestaag, want ze blijken uitstekende waar voor hun geld te bieden. Met name de kwaliteit van de rode wijnen wordt steeds bekender. Maar ook de productie van eigenzinnige witte wijnen komt in Portugal op gang. Vooral uit het noorden, met de gebieden Douro en Vinho Verde voorop, komt steeds meer interessant wit. Dankzij het gebruik van inheemse druivenrassen hebben rood en wit één ding gemeen: een onmiskenbaar eigen, Portugees accent. Inzet van 21e-eeuwse keldertechniek zorgt ervoor dat wijnmakers die authenticiteit kunnen koppelen aan zuiverheid en precisie. In deze rode Azul Portugal Reserva proef je serieus zwart fruit, warme alcohol en chocola. Mooi rijp, met kruiden en specerijen. Stoere kracht, maar niet boers. Een schoolvoorbeeld van een originele wijn op basis van lokale druiven.

Azul Portugal • Reserva • Douro
🍇 touriga nacional, tinta roriz, tinta barroca

€ 8 tot € 9   DGS

Heerlijk soepel glas rood voor weinig geld

Lello, van het huis Borges, is een Portugese wijn die meerdere jaren in de kolommen van de *Wijnalmanak* terug te vinden was. Het is ook niet zomaar iets, een lekkere rode wijn uit de Dourostreek voor rond de 5 euro. Een grote prestatie, want de topwijnen hiervandaan zijn meestal zeer duur en prestigieus. Wijn maken in de Douro is nu eenmaal een dure aangelegenheid. Veel hellingen zijn steil en het meeste werk moet nog altijd met de hand worden gedaan. Bovendien zijn de opbrengsten in de wijngaarden laag. Wel is het handig dat de producenten van dezelfde druivenrassen zowel port als droge rode wijnen kunnen maken. Dat is ook bij deze wijn het geval: het is een mix van touriga nacional, touriga franca, tinta roriz en tinta barroca. Dat soort druiven staat garant voor een authentieke smaak. Heerlijk soepel glas rood. Kersenjam, rond en toegankelijk. Proefden we ook een beetje hout? Voortreffelijke wijn voor zijn prijs.

Borges • Lello • Douro

🍇 touriga nacional, touriga franca, tinta roriz, tinta barroca

€ 5 tot € 6   Dirck III, Plus

Bloemen, fruit en rondheid: deze wijn is superverleidelijk

De streek rond de havenplaats Setúbal produceert al heel lang een bijzondere zoete wijn van muskaatdruiven: Moscatel de Setúbal. Dit is een met alcohol versterkte wijn, die tientallen jaren kan ouderen. Maar met de afnemende belangstelling voor zoete wijnen ligt het voor de hand moscatel (ook muscat genoemd) ook voor droge wijnen te gebruiken. In dit geval wordt hij gecombineerd met andere typisch Portugese druiven: fernão pires en tamarez. Dat levert een herkenbaar Portugees glas wit op, waarin de moscatel niet domineert. Het mooie is dat de druiven ook in het warme klimaat van dit schiereiland hun zuren hebben behouden. Het is een aromatische en zachte wijn, superverleidelijk. Bloemen, wit fruit, een onmiskenbaar 'druivige' muskaattoon, bescheiden alcohol, mooie zuren en bitters, een en al rondheid. Werd dit soort wijn maar eens wat vaker op caféterrassen geserveerd! Ook lekker bij Chinese groenteschotels, kip en asperges.

Ficada • Vinho Regional Península de Setúbal
🍇 fernão pires, tamarez, muscat

€ 5 tot € 6   Les Généreux

Krachtige jongen, en tóch verfijnd

Een van de Portugese wijngebieden die sterk heeft geprofiteerd van nieuwe investeringen en moderne technieken van wijn maken, is Alentejo. Dat ligt in het zuidoosten van Portugal, tegen de Spaanse grens, met aan de andere kant de Spaanse regio's Extremadura en Andalusië. Het is een mooie, weidse streek met golvende heuvels, verspreid liggende wijngaarden, olijfgaarden en plantages met kurkeiken. Dit is de warmste wijnstreek van Portugal: bij uitstek geschikt voor het maken van krachtige rode wijnen. Dit glas is daar een mooi voorbeeld van. De markies maakt zelf geen wijn; dat laat hij aan professionele wijnmakers over, zoals João Portugal Ramos (ja, hij heet echt zo). Binnen de Portugese wijnbouw is dit een grote meneer. Deze sterwijnmaker slaagt erin om in Alentejo wijn te maken die karakter en verfijning in zich verenigt. Je proeft direct het rijpe fruit. Wat confiture, zwarte olijven, goede tanninestructuur, breed, heerlijk zacht in de afdronk.

Marquês de Borba • Tinto • Alentejo
🍇 alicante bouschet, aragonez, touriga nacional e.a.

€ 8 tot € 9 Jean Arnaud

Moderne wijn voor (en door) moderne mensen

Helemaal te gek: Portugees wit voor de moderne mens van nu. Als je wilt, kun je op YouTube allerhande filmpjes over het leven in de Dourovallei bekijken. Nog beter is het een fles open te maken. Zoals deze. Mooi fris wit, licht kruidig, citrusfruit, lekker licht in de alcohol. Vragen of opmerkingen bij deze wijn? Via Twitter (@quevedo) of Facebook kan iedereen zelf contact opnemen met de mensen die 'm maken! De wijnmaker deelt graag zijn verhalen en liefde voor de wijn die hij maakt met de wijndrinker.
Ook de mannen (ja, vooralsnog alleen mannen) van Jumbo zitten op Twitter. Via @jumbowijn zijn ze te bereiken, en natuurlijk niet alleen met vragen over de wijnen van Oscar. Zo kun je bij het maken en verkopen van wijnen perfect met je tijd meegaan. Overigens smaakt deze wijn ook zonder social media heel goed...

Oscar's • Douro
🍇 rabigato, viosinho, gouveio

€ 5 tot € 6   Jumbo

Tintelfris, zuiver en lekker verteerbaar

Bij al het succes van de wijnen uit het Spaanse Rías Baixas is de wetenschap dat in Portugal wijnen met dezelfde druiven en eenzelfde karakter worden gemaakt een beetje ondergesneeuwd. De Portugese streek in kwestie – direct aan de andere kant van de grens – heet Vinho Verde. De naam verwijst naar het groene karakter van het gebied, als gevolg van de uitbundige regenval. Anders dan in veel wijnen uit Rías Baixas komen in de Vinho Verde ook andere lokale druiven dan de populaire albariño (in Portugal alvarinho) aan bod. Dat zorgt voor een grotere complexiteit. Loureiro bijvoorbeeld geeft de wijn meer diepgang en structuur. Deze witte Vinho Verde is een compositie van alvarinho, loureiro en trajadura. Het is een wijn van een groot bedrijf, met 160 hectare wijngaarden en geproduceerd in een moderne stijl, met de nadruk op het fruit. Dankzij het koele Atlantische klimaat tintelfris, mineraal en zuiver. Lekker verteerbaar.

Quinta da Aveleda • Vinho Verde
🍇 loureiro, trajadura, alvarinho

€ 7 tot € 8 Vinites

Denk er een terras in Lissabon bij...

Deze heerlijke witte wijn had vroeger de herkomstbenaming Vinho Regional Estremadura. Blijkbaar vond
men dat een verwarrende naam vanwege de
Spaanse regio Extremadura, tegen de Portugese
grens aan. Daarom is ervoor gekozen deze streek in
de heuvels ten noorden van hoofdstad Lissabon om
te dopen tot Vinho Regional Lisboa. Ondertussen is
de wijn gelukkig hetzelfde van karakter gebleven. Wat
deze streek zo boeiend maakt, is de invloed van de
nabijgelegen Atlantische Oceaan, die zorgt voor een
bijzondere frisheid in de wijnen. Deze wijn is een mix
van vijf verschillende druivenrassen. Sauvignon blanc
kennen we van over de hele wereld, maar verder zijn
het louter inheemse Portugese druiven die de dienst
uitmaken in deze onalledaagse witte blend. Dat levert
een eigenzinnige en spannende wijn op. Lichtvoetig,
met de geur en smaak van frisse appels, verse
asperges en een beetje grassigheid. Denk er voor de
aardigheid een terras in Lissabon bij.

Quinta da Espiga • Branco • Vinho Regional Lisboa
🏵 fernão pires, vital, arinto, seara nova, sauvignon blanc

€ 5 tot € 6   Kwast Wijnkopers

Een volbloed eetrosé boordevol karakter

Dão is een van de bekendste wijnstreken van Portugal, befaamd om de productie van krachtige, boerse rode wijnen, die zeer lang kunnen worden bewaard. Maar ook hier is de situatie drastisch veranderd dankzij nieuwe wijnmaaktechnieken. Moderne Dão is veel rijper en zachter van karakter dan de ouderwetse versie. Een andere innovatie is de introductie van krachtige en fruitige rosé, zoals deze. Hij wordt gemaakt op een wijngoed dat sinds 1980 eigendom is van Alvaro Castro, wiens Nederlandse importeur nadrukkelijk meldt dat hij 'geen familie is van'. Castro's eerste oogst was pas in 1989. Sindsdien heeft hij naam gemaakt als een van de beste wijnmakers in de Dão. Hij schuwt het experiment niet, getuige het gebruik van cabernet voor zijn rosé. Maar daarnaast ontleent de wijn zijn karakter aan twee typisch lokale rassen: alfrocheiro en touriga nacional. Hij heeft veel kleur, is stevig, met lekker rood zomerfruit. Veel lengte. Volbloed eetrosé voor gegrild vlees, geitenkaas en salades.

Quinta de Saes • Dão
cabernet sauvignon, alfrocheiro, touriga nacional

€ 9 tot € 10   Horizon Wines

Rood met een ontembare eigenheid

Rode Douro valt bij ons gewoonlijk in goede aarde. Natuurlijk is er in Portugal meer te vinden, maar de Douro is vaak *the place to be*. Dus toch nog een tip uit deze regio. Dit is zo'n wijn waarvan de eigenheid nooit helemaal getemd kan worden door er allerhande trucs op los te laten. Dat kan ook niet, wanneer je ziet hoe gehard de druiven aan de Douro moeten zijn om er in het extreme klimaat en op de arme, stenige bodems te kunnen overleven. Toch heeft deze wijn een uitgesproken zacht en rijp karakter. Stevig, maar tegelijk mooi soepel. Geconcentreerd zwart fruit, 'stoffig' en aards. Een goede smaakbalans tussen het fruit en de grip van de tannine, aangevuld door de juiste zuren. Naast deze wijn maakt Tuga nog een groot aantal andere aantrekkelijke rode (en witte) wijnen. Hier valt voor de liefhebber dus nog een hele hoop te halen!

Tuga • Tinto • Douro
🍇 touriga nacional, touriga franca, tinta roriz, tinta barroca

€ 6 tot € 7   André Kerstens

Levendige metropolen als Barcelona en Madrid, futuristische en spraakmakende musea in steden als Bilbao en Valencia, de monumentale schoonheid van Toledo en Sevilla: Spanje heeft het allemaal. Fijnproevers komen voor de vele innovatieve restaurants. En wijnliefhebbers voor de Spaanse wijncultuur, voortgekomen uit een eeuwenoude traditie, maar binnen een paar decennia compleet veranderd.

Spanje

Spanje was tot ver in de twintigste eeuw een in zichzelf gekeerd en stoffig wijnland, letterlijk en figuurlijk. Nu staat het vol spectaculaire *bodegas* (wijnbedrijven), ontworpen door beroemde architecten als Santiago Calatrava, en heeft het in wijnbouwtechnisch opzicht een ware revolutie ondergaan. Het Spanje van nu is allesbehalve in zichzelf gekeerd, maar heeft zich vol dynamiek ontpopt tot een van de grootste exporteurs in de wereld.

Gemeten naar het wijngaardoppervlakte van meer dan 1 miljoen hectare is Spanje het grootste wijnland ter wereld. Geen wonder dus dat het tegenwoordig allerlei uiteenlopende typen wijn produceert; heel wat meer dan het klassieke trio sherry, Rioja en cava.

De Spaanse revolutie was in eerste instantie van keldertechnische aard. Die technische revolutie is inmiddels in een tweede fase terechtgekomen. Ging het in de jaren tachtig en negentig nog om vrij elementaire verbeteringen, zoals de introductie van roestvrijstalen tanks en temperatuurcontrole, wanneer je vandaag de dag vinificatieruimtes bekijkt, sla je af en toe achterover van verbazing. Wat je te zien krijgt aan apparatuur is namelijk *state of the art*. Het modernste van het modernste. Met aan de knoppen – letterlijk en figuurlijk – wijnmakers die én een gedegen opleiding achter de rug hebben én weten wat er in de rest van de wereld gaande is. Spaanse producenten hebben dan ook oog voor nieuwe smaakvoorkeuren in binnen- en buitenland.

Uitdaging: balans

Wijn maken is meer dan Gods water over Gods akker laten vloeien – zeker in het

Typisch Spaans

grotendeels droge Spanje – en verder maar zien waar het schip strandt. Vrijwel alles in de hedendaagse wijnbouw is onderworpen aan een vorm van management. Engels klinkt interessant, maar de Nederlandse woorden 'beheer' en 'beheersing' geven eigenlijk veel beter aan waar het om draait. In Spanje komt het aan op beheersing van water, zuurstof, alcohol en hout (rijping op vat). Water is in grote delen van het land een schaars goed, maar vaak wel onontbeerlijk om voldoende opbrengst te halen. Zuinigheid is daarbij noodzakelijk.

Zuurstof is de vijand van wijnen die frisheid en fruit moeten hebben. Gebruik van staal en koelapparatuur heeft echter al een eind gemaakt aan de geoxideerde wijnen van vroeger. Alcohol blijft een uitdaging, want suikeropbouw in de druiven (en suiker wordt omgezet in alcohol) is in het grootste deel van Spanje geen enkel probleem. De kunst is om voor voldoende balans te zorgen.

Eikenaroma's

Op het gebied van *oak management* – beheersing van het houtgebruik – zijn grote stappen voorwaarts gezet. Lange tijd golden in Spanje jarenlange houtrijping en daaruit voortkomende oxidatieve wijnen met een nadrukkelijk houtaroma als het summum van goede smaak. Het ging dan vrijwel altijd om Amerikaans eikenhout. Frisheid en fruit? Nooit van gehoord! Hoe lang geleden is het helemaal dat we met z'n allen dachten dat een overdaad aan eikenaroma's 'typisch' was voor Spaanse wijn en in het bijzonder voor Rioja?

Nog niet iedereen in Spanje is van de houtverslaving genezen, maar de drinkbaarheid is er over het algemeen enorm op vooruitgegaan. Dat is mede te danken aan een overschakeling van Amerikaans naar verfijnder Frans eiken, een veel kortere rijping en, steeds vaker, gebruik van vaten met een wat grotere inhoud dan de *barricas* van 225 liter. Ouderwetse *reservas* en *gran reservas* met lange houtrijping hebben hierdoor aan belang en prestige ingeboet.

Lage opbrengst

Hoe produceer je wijn met individueel karakter? Was de keldertechnische inhaalslag van de afgelopen jaren indrukwekkend, en oogt de ene nieuwe bodega nog imposanter dan de andere, een zo mogelijk nog ingrijpender ontwikkeling is gaande in de wijngaarden. En is dat niet de plaats waar de wijn primair zijn karakter aan ontleent? Spaanse wijngaarden zijn bekend om hun extreem schommelende en lage opbrengsten van soms maar 20 hectoliter per hectare of nog minder. Het heeft allemaal te maken met de droogte in het centrale deel van het land. Omdat irrigatie tot voor kort onbekend was, betekende dit van oudsher dat het aantal druivenstokken per hectare (de plantdichtheid) bijzonder laag was. Door aanleg van irrigatiesystemen en rationeler beheer van nieuw aangelegde wijngaarden, met een hogere plantdichtheid en betere manieren van snoeien en geleiden, is er veel veranderd, al zal Spanje nooit een land worden van hoge rendementen.

Terrassen in Priorat

Druiven herontdekt

Zoveel druivenrassen als Italië, Frankrijk of zelfs Portugal heeft Spanje niet, maar er is wel hernieuwde belangstelling gekomen voor het eigen erfgoed. Producenten die nu nog net zo met internationaal populaire rassen dwepen als twintig jaar geleden zijn zeldzaam geworden. Gedachteloos aanplanten van cabernet of chardonnay is er niet meer bij, want de praktijk heeft uitgewezen dat die lang niet overal even goed gedijen en allesbehalve unieke wijnen opleveren. En waarom zou je ook, wanneer je zelf genoeg druivenrassen in huis hebt die aangepast zijn aan hun omgeving en ook nog eens prachtige resultaten kunnen geven. Het was alleen een kwestie van ze herontdekken en herwaarderen, net als vergeten of bijna gerooide wijngaarden vol oude stokken.

Spanje heeft overigens meer witte dan blauwe druiven aangeplant staan, terwijl het toch meer rode dan witte wijnen op de markt brengt. Een groot deel van de witte aanplant is namelijk bestemd voor distillatie.

Spaans blauw

De meest verbreide en kwalitatief meest toonaangevende blauwe druif van Spanje is tempranillo, solist en teamspeler tegelijk. Tot voor kort kwam je 'm alleen maar in Spanje tegen en, onder de naam aragonez, in Portugal. Zo langzaamaan wordt hij

Wijnklooster aan de pelgrimsroute naar Santiago

Overzicht blauwe rassen

Onderstaand een overzicht van de belangrijkste Spaanse blauwe rassen:

Bobal – druif voor wijnen met veel alcohol in het achterland van Valencia, onder andere Utiel-Requena.

Cariñena – in het Frans: carignan; tanninerijke druif, meestal gebruikt als bestanddeel van blends, bijvoorbeeld in Priorat. Synoniem: mazuelo.

Garnacha tinta – veel aangeplante, maar onderschatte druif. Lang beschouwd als werkpaard en als leverancier van *rosado* (rosé). Iets te enthousiast gerooid, want oude stokken blijken grootse wijnen te kunnen opleveren.

Graciano – druif met veel kleur en aroma, voor blends met tempranillo in Rioja.

Mencía – in de jaren negentig herontdekte, intrigerende druif voor elegante maar karakteristieke wijnen uit Bierzo.

Monastrell – belangrijke druif voor steeds beter wordende, krachtige en tanninerijke mediterrane wijnen uit de Levant (Yecla, Jumilla, Alicante). In Frankrijk: mourvèdre.

Tempranillo – toonaangevende, nationale druif van Spanje. Heeft garnacha achter zich gelaten als meest aangeplante blauwe ras. In tal van gebieden geplant en paradepaardje van onder andere Rioja, Ribera del Duero en Toro. Rijpt goed op hout. Wordt zowel puur gevinifieerd als in blends gebruikt. Synoniemen: cencibel, tinta de toro, tinto fino, tinto del país, ull de llebre en nog veel meer.

ook in verre buitenlanden aangeplant. Dat belooft nog wat. Al even Spaans zijn garnacha (elders beter bekend als grenache) en monastrell (mourvèdre), allebei volbloedmediterrane rassen. Cabernet sauvignon en zeker merlot zullen het in Spanje moeten stellen met een bijrol, op echt geschikte locaties zoals in Somontano, Navarra of Catalonië (Catalunya). Een grotere toekomst lijkt weggelegd voor syrah, vooral in de wat warmere contreien van Spanje. Het is weliswaar geen traditioneel Spaanse druif, maar wel een mediterrane druif, en de wijnen ervan kunnen opvallend goed zijn.

Druivenstokken in de sneeuw in Rueda

Onderschat wit

Spaanse wijn is in de eerste plaats rood of, als afgeleide daarvan, rosé. Wit lijkt genoegen te moeten nemen met een bijrol. Het zou jammer zijn wanneer dit onderschatting tot gevolg zou hebben, want er is heel wat spannends te vinden, zowel van inheemse als internationale druiven. De grote witte Spaanse voortrekkers zijn Rueda, vrijwel uit het niets gelanceerd als succesvolle DO (*denominación de origen*, een herkomstaanduiding te vergelijken met de Franse appellation) met de druif verdejo als uithangbord, en het Galicische Rías Baixas met zijn albariño. Galicië heeft overigens ook de interessante druif godello in huis, en DO's als Valdeorras en Monterrei. Verder is er nog Rioja, met de witte rassen viura en malvasía. Wit is daar weliswaar een marginaal verschijnsel, maar dankzij 21e-eeuwse technieken en terughoudend houtgebruik vind je er verrassend goede flessen.

Overzicht witte rassen

Ook hier de belangrijkste Spaanse rassen even op een rijtje:

Airén – meest aangeplante druif van Spanje; zeer droogtebestendig. Neutraal van karakter en in La Mancha daarom vooral geteeld voor distillatie tot brandy, maar ook steeds vaker voor lichte witte wijn.

Albariño – bekendste druif van Galicië en bijna synoniem met de succesvolle wijnen uit Rías Baixas.

Garnacha blanca – potentieel zeer interessant mediterraan ras voor karakteristieke wijnen in Catalonië.

Godello – Galicische druif, goed voor karaktervolle, minerale wijnen, bijvoorbeeld uit Valdeorras.

Macabeo – alias viura, meest aangeplante witte druif in Noordoost-Spanje, voor zowel stille wijnen als voor cava, neutraal van karakter.

Moscatel – bij uitstek mediterrane druif, in de regel gebruikt voor versterkte zoete wijnen.

Palomino fino – de druif van Jerez en omstreken. Voor sherry geweldig, elders oninteressant.

Parellada – Catalaans ras voor frisse, stille witte wijnen; onderdeel van de klassieke blend voor cava.

PX – voluit: pedro ximénez. Druif voor zeer zoete sherry, maar ook voor fraaie, droge, sherryachtige wijnen in Montilla-Moriles.

Verdejo – letterlijk: de 'groene'; belangrijkste druif van Rueda, waar hij frisse, pittige wijnen geeft.

Xarel.lo – Catalaans ras, onder meer gebruikt voor cava.

Designbodega Ysios in Rioja

Spaanse specialiteiten

Het vlaggenschip en dé referentie voor 'normale' Spaanse wijnen is Rioja, de wijn die ondanks de toegenomen concurrentie nog altijd de onbetwiste marktleider voor rood (tinto) is. Het lijkt er zelfs op dat de komst van nieuwe concurrenten de streek alleen maar een impuls gegeven heeft om met de tijd mee te gaan en in stilistisch opzicht de puntjes op de i te zetten, bij de houtrijping bijvoorbeeld.

Een andere hardloper is mousserende wijn (*espumoso*) in de vorm van cava. Ook dat is een commercieel succesnummer. Hoewel hij in diverse gebieden geproduceerd mag worden, komt 90% ervan uit Catalonië, om precies te zijn uit de streek net even ten zuiden van Barcelona. Door zijn aangename zuurgraad en dito prijs staat cava voor lekkere, laagdrempelige bubbels. In het van zichzelf al bruisende Barcelona kunnen ze er geen genoeg van krijgen.

Wijnmonument in Jerez

En dan heeft Spanje natuurlijk nog versterkte wijn (*generoso*), in de vorm van Jerez, bij ons beter bekend als sherry. Hoewel momenteel ernstig onderschat en uit de mode, is dit een van 's werelds werkelijk klassieke wijnen, de ziel van Andalusië en uniek Spaans. Bovendien betaal je voor deze geweldige wijn ook nog eens een vriendenprijsje.

Opkomst particulieren

Nadat de inhaalslag in Spanje op elementair kwaliteitsniveau voltooid was, is de koers steeds meer gericht op verdieping en verfijning van het wijnaanbod. Tegelijkertijd zijn aan de lopende band nieuwe namen van producenten opgedoken. Individualisering is de trend; particuliere

Pagos

De individualisering van de Spaanse wijnbouw blijkt niet alleen uit het flink gestegen aantal DO's, maar zo mogelijk nog meer uit de komst van de *vino de pago*. Die heb je in twee soorten. Het kan gaan om prestigieuze wijnen uit één wijngaard, waarbij een specifiek perceel (*pago*) alle eer krijgt. Vino de pago kan ook gelden als herkomstbenaming voor een heel wijngoed. In dat geval gaat het om een aparte DO, *denominación de origen de pago*, enigszins te vergelijken met *crus classés* in Bordeaux. De bakermat van de 'pagobeweging' is de regio Castilla-La Mancha, maar ook in andere wijngebieden is het idee aangeslagen.

wijngoederen zijn in opmars. Ze zijn een betrekkelijk recent verschijnsel in een land waar de productie lange tijd gedomineerd werd door grote huizen en een veelheid aan coöperaties. Gegeven de omstandigheid dat sommige regio's al wat verder zijn dan andere, mogen we de komende jaren nog meer vooruitgang en nog opwindender wijnen verwachten.

Werelden apart

Spanje is groot en heeft afwisselende terroirs, zowel qua bodem, klimaat als hoogteligging. Het kan dus niet anders dan dat er grote onderlinge stijlverschillen optreden. Het is beslist niet zo dat het hele land overal even warm, droog en zonnig is. Je vindt in Spanje zowel maritieme, mediterrane als continentale klimaatzones. Het Atlantische Galicië en het zuidelijke Andalusië zijn werelden apart, net als So-

Oogsten met de hand

Wijngaard in Galicië

montano aan de voet van de Pyreneeën en de Levant in de omgeving van Valencia en Alicante. Een en ander vindt zijn neerslag in een toenemend aantal herkomstbenamingen, de DO's. Het zijn er ondertussen ruim tachtig, in omvang variërend van honderdduizenden hectaren, zoals La Mancha, tot slechts enkele tientallen, in het Baskenland. Op zichzelf is daar niets mis mee, maar de vraag is wel in hoeverre Spanje hier nog verder mee door moet

gaan. Want wat zeggen al die namen de gewone wijndrinker? Er zitten nu al heel wat DO's tussen die zelfs in de eigen streek nauwelijks bekend zijn. Laten we hopen dat Spanje in dit opzicht niet Frankrijk en Italië achterna gaat, met hun jungle van honderden herkomstbenamingen, maar het juist overzichtelijk houdt.

Een positief geval apart is de prestigi-

Crianza

Ook al is de duur ervan sterk ingeperkt, veel Spaanse rode wijnen ondergaan nog steeds een periode van rijping voordat ze in de verkoop komen. De duur van die opvoeding bepaalt welke nadere aanduiding de wijnen dragen. De voorschriften daarvoor verschillen per gebied. Wijnen van het type *gran reserva* ondergaan de langste rijping op vat en fles, gevolgd door *reserva*. Veel populairder is de *crianza*, het type waarin houtrijping een bescheidener rol speelt en fruitigheid vooropstaat. De aanduiding *roble* geeft aan dat er een beetje hout gebruikt is, zonder nadere specificatie. *Jovén*, Spaans voor 'jong', slaat op houtvrije wijnen.

euze *denominación de origen calificada* (DOCa), zeg maar een soort super-DO met extra strenge regelgeving. Tot nu toe is die status alleen nog maar toegekend aan Rioja en Priorat.

Tapas en haute cuisine

Wijn is in Spanje meer dan zomaar een levensmiddel. De ambiance eromheen doet er ook toe: een mooi product vraagt om een mooie omlijsting. In delen van Spanje leeft dat besef sterk. Oogverblindende

Wijntoerisme

bodega's, moderne etikettering, stijlvolle voorzieningen voor wijntoerisme, het is er allemaal. De Spanjaarden hebben namelijk een wijncultuur ontwikkeld die nauw samenhangt met de maatschappelijke vernieuwing. Was wijn vroeger anonieme handelswaar waar weinig woorden aan vuil gemaakt werden, tegenwoordig is het onderdeel van de moderne Spaanse lifestyle, waarin genieten op niveau een grote rol speelt. Laten we in dit verband ook de Spaanse cuisine niet vergeten, die internationaal furore maakt. Het is natuurlijk geen toeval dat die onvoorstelbare vlucht eveneens aan het eind van de twintigste eeuw plaatsvond. De innovatiedrang van de grote Spaanse chefs, inclusief het gebruik van revolutionaire technieken, toont opmerkelijke overeenkomsten met die van de voortrekkers in de wijnbouw. Ongeacht of je nu in een tapasbar of een van de talrijke sterrenrestaurants komt, eten en wijn vormen een onlosmakelijke twee-eenheid. Spanje heeft bovendien een rijke regionale gastronomie, zowel langs de Atlantische kust en de Middellandse Zee als in het binnenland, en wijn is daarmee van oudsher nauw verbonden. Het is dan ook een vast onderdeel van het veelgeprezen mediter-

rane dieet. Je zou in plaats van de *French Paradox* net zo goed van de *Spanish Paradox* kunnen spreken. De wijnen blijken in de praktijk trouwens uitstekend aan te sluiten bij praktisch elke keuken. Ook dat maakt Spanje tot een adembenemend wijnland.

Spanje kort

- Aanplant: 1,1 miljoen ha
- Aantal producenten: 3900
- Aanplant witte druiven: 60%
- Aanplant blauwe druiven: 40%
- Aandeel witte wijn: 44%
- Aandeel rode wijn/rosé: 56%
- Meest aangeplante witte druivenrassen: airén, pardina, macabeo, palomino fino
- Meest aangeplante blauwe druivenrassen: tempranillo, bobal, garnacha tinta, monastrell
- Belangrijkste regio's naar productie: Castilla-La Mancha, Catalonië, Extremadura, Rioja, Valencia
- Belangrijkste DO's naar exportvolume: Cava, Rioja, La Mancha, Valencia, Jerez, Navarra, Catalonië, Cariñena, Valdepeñas, Utiel-Requena

Wijnwinkel in de Penedès

Knap: heftigheid die is omgezet in elegantie

Monastrell is de Spaanse versie van de Franse druif mourvèdre, bekend van Bandol en Châteauneuf-du-Pape. Het is een blauwe druif die het alleen goed doet vlak bij de Middellandse Zee, omdat hij anders niet goed kan rijpen. Hij groeit inmiddels in populariteit, omdat hij wijnen oplevert met karakter en goede zuren. Ook kan hij zich goed aanpassen aan de opwarming van het klimaat. Deze Tinto Joven wordt gemaakt door Telmo Rodríguez. Rodríguez is een *driving winemaker,* die in heel Spanje werkt, het liefst met druiven uit wijngaarden met oude, ongeleide, in de vorm van een struikje gesnoeide stokken. In Alicante doet hij dat met monastrell, omdat de omstandigheden voor deze druif daar ideaal zijn, met wijngaarden niet ver van de Middellandse Zee. Fantastisch hoe hij die druif, al gauw geneigd om nogal heftige wijnen te produceren, in toom heeft weten te houden. Open, puur fruit, edele tannine, elegantie en een perfecte balans.

Al Muvedre · Tinto Joven · Alicante
🍇 monastrell

€ 7 tot € 8   Pallas Wines

Volbloed-Rioja voor een zachte prijs

In 1985 startten drie wijnproducenten in Rioja een nieuw project: Barón de Ley. Het moest een bodega worden die alleen druiven van eigen wijngaarden zou gebruiken, in tegenstelling tot veel andere producenten. Barón de Ley is nu zo succesvol dat ze alsnog druiven bij andere telers moeten kopen, maar dat terzijde. De naam Barón is een knipoog naar de vele Riojaproducenten die Marqués gebruiken in de naam van hun bodega. Club Privado, de naam van deze rode wijn, doet denken aan plaatsen voor ondeugend vermaak, maar Barón de Ley is een keurige bodega, die Rioja volgens het boekje produceert. Voor deze wijn kwamen ze met de term *semi-crianza*. Rioja moet meer zijn dan alleen maar eikenhout, vinden ze. De wijn rijpt dus kort op vat. Het resultaat is sappig, speels, levendig met wat aardbei en rode kers in de smaak. Op de achtergrond een subtiel vleugje vanille van het hout. Een volbloed-Rioja voor een zachte prijs.

Barón de Ley • Club Privado • Rioja
🍇 tempranillo

€ 8 tot € 9 Kwast Wijnkopers

Opwekkende wijn die best in de koelkast mag

Wereldwijd kun je voor een koopje misschien het best terecht in Chili. Maar in Europa is Spanje een ware kampioen op het terrein van wijnen die veel waar voor hun geld bieden. Zo kun je je wijn mooi van iets dichterbij halen en dat is in deze tijd van de *carbon footprint* ook wat waard. Navarra, de noordelijke buur van Rioja, stond ooit voornamelijk bekend om de rosés die ervandaan kwamen. Het waren bijna lichte rode wijnen. Dat heeft de wijnmakers blijkbaar geïnspireerd, want je vindt daar nu lekker frisse rode wijnen, voor een heel bescheiden prijs. Zoals dit exemplaar van Beamonte, dat door het glas dartelt. Het is een heel smakelijke Tempranillo met zwart fruit (kersen, bramen) en voldoende rijpheid, niet zwaar of zwoel. Opwekkende afdronk. Mocht het een heel warme dag zijn, leg hem dan gerust een half uurtje in de koelkast.

Beamonte • Tempranillo • Navarra
🍇 tempranillo

€ 3 tot € 4   Albert Heijn

Een mondvol wijn met de warmte van het zuiden

Net als de al genoemde Telmo Rodríguez heeft ook de familie Palacio een bijzonder project aan de kust van de Middellandse Zee. Hierbij is gekozen voor de streek Alicante, in het verleden bekend om zijn zoete wijnen. Het warme klimaat is er perfect voor laat rijpende druiven zoals monastrell en syrah. Ook cabernet sauvigon, oorspronkelijk uit de Bordeaux, heeft een lange rijping en veel warmte nodig. De combinatie van deze drie druiven werkt heel goed. Monastrell geeft deze rode wijn stevigheid en tannine, de 'onvermijdelijke' cabernet zorgt voor frisheid en fruit en de in Spanje rijzende ster syrah is goed voor een aangename peperigheid. Samen geven ze een erg goede wijn. De warmte van het zuiden proef je terug in de kracht en body (14% alcohol). Volop bramen, zwarte bessen, zoethout, chocola en kruidigheid. Kortom, een mondvol wijn. Laat het maar rustig winter worden

Bodegas y Viñedos El Sequé • Laderas de El Sequé • Alicante
🍇 monastrell, cabernet sauvignon, syrah

€ 8 tot € 9   Wijnkoperij De Gouden Ton

Intens maar toch subtiel: zomerse wijn uit Rueda

Ha, zo kunnen we door de bocht met een Rueda van pure verdejo! Met deze witte wijn kun je twee verschillende kanten op. Óf het is hartje zomer en je neemt hem mee naar het park óf het is koel en je probeert er de zomer mee af te dwingen. Rueda kan nog wel eens heel geurig en overdonderend zijn, om na twee seconden in elkaar te zakken tot een niemendalletje. Dat is hier zeker niet het geval. De aroma's van Castelo de Medina zijn behalve intens ook subtiel. Passievrucht, verse ananas, bloemig en geurig. Hm! Volle aanzet, weer een berg fruit, meloen, limoen in de finale. Heerlijk fris, aromatisch en met een lange afdronk. De lijst met prijzen en medailles voor deze wijn is bijna oneindig. In de almanak van 2013 stond hij als sterwijn, en ook in wijntijdschrift *Perswijn* kwam deze wijn er verschillende keren goed af. Een echte aanrader!

Castelo de Medina • Verdejo • Rueda
🍇 verdejo

€ 7 tot € 8 Les Généreux

Zwart fruit en een fijn pepertje na

De Spaanse hoogvlakte en omstreken is goed voor heel lekkere en betaalbare wijnen. Het warme landklimaat en de hoge ligging van de wijngaarden zorgen voor druiven met veel smaak. Net als in het Franse zuiden is grenache, hier garnacha genoemd, een van de belangrijkste druiven. Vooral oude stokken grenache kunnen prachtig zwoele en zelfs elegante wijnen opleveren. Zo is garnacha de belangrijkste druif van de DO Campo de Borja. Deze streek ligt in Aragón, met als dichtstbijzijnde grote stad Zaragoza. Van oudsher was garnacha er gezichtsbepalend, maar ook hier is er tempranillo bij gekomen. Die geeft de wijn wat meer zuren en frisheid. Onveranderd gebleven is de buitengewoon vriendelijke prijsstelling van de wijnen uit Campo de Borja. Neem deze Tinto (*tinto* is Spaans voor 'rood'). Die is ronduit goedkoop en toch smakelijk. Confiture van zwart fruit, warm, vlezig en met een fijn pepertje na.

Castillo de Ainzón • Tinto • Campo de Borja
🍇 garnacha, tempranillo

€ 3 tot € 4 Jumbo

Geen onrijpe groentetuin, maar lekker vol

Rueda is een bijzondere wijnstreek, aan de noordkant van de Spaanse hoogvlakte, vlak bij Valladolid. Dit wijngebied produceert een van de beste Spaanse witte wijnen. Het dankt zijn kwaliteit aan een paar bijzondere factoren. In de eerste plaats de hoge ligging van de wijngaarden, rond de 900 meter. Daardoor koelt het in de nacht sterk af, zodat de druiven smaak en zuren krijgen. Een andere factor zijn de eigen druiven van de streek, verdejo voorop. Ook een pluspunt is de aanwezigheid van oude stokken, tot wel honderd jaar oud of meer. Cuatro Rayas lanceerde begin 2010 zijn Viñedos Centenarios als prestigewijn, afkomstig van zulke oude stokken verdejo, met de hand geplukt. De productie is beperkt tot minder dan 30 hectoliter per hectare. Grote klasse, omdat deze Verdejo nu eens niet een onrijpe groentetuin is. Lekker vol juist, licht exotisch, met rijpe peren en gele pruimen, fijne zuren, appel, complexiteit en lengte. Verdejo op z'n fraaist.

Cuatro Rayas • Viñedos Centenarios Verdejo • Rueda
verdejo

€ 8 tot € 9   Qualyvines

Wit dat charmeert als een voorjaarsbries

We gaan naar Galicië, in het koele en groene Atlantische noordwesten van Spanje. Dat is het gebied bij
uitstek waar momenteel spannende dingen gebeuren, vooral wat betreft witte wijnen. Sleutelbegrip:
originaliteit! Je komt hier druiven tegen die je bijna
nergens anders vindt en die zeer geschikt zijn voor
het uitgesproken vochtige klimaat van deze streek.
De bekendste druif uit deze regio is tegenwoordig
albariño, dé druif van het befaamde Galicische gebied
Rías Baixas. Maar voor spanning hoef je niet per se in
het duur geworden Rías Baixas te zijn. Monterrei is
een prima alternatief. Wit wordt er vooral gemaakt
van de regionale godello: weer zo'n originele druif. En
wat voor wit! Wit dat charmeert als een voorjaarsbries
vol bloesemgeuren. Rijpe appel, peer en meloen.
Ragfijne zuren, puntje venkel en anijs, heel opwekkend. Een absolute uitblinker. Laat de oesters en
mosselen maar doorkomen.

Finca Os Cobatos • Godello • Monterrei
🍇 godello

€ 7 tot € 8   Les Généreux

Volwassen rosé uit Rioja

Mede dankzij Marqués de Cáceres raakte Nederland ooit verslingerd aan Rioja. Al zo'n veertig jaar geleden waren de wijnen van deze bodega een begrip in Nederland. De stijl van wijn maken was indertijd zeer modern en vooruitstrevend. Rioja werd synoniem met kwaliteitswijn uit Spanje en is dat sindsdien gebleven. Wel is er intussen het een en ander veranderd. De wijnen zijn in karakter wat eleganter geworden, met meer accent op het fruit en wat minder op het (Amerikaanse) eikenhout. Daarnaast zijn er ook andere wijnen op de markt gekomen dan alleen de bekende rode Rioja, zoals deze aangename *rosado*. De bodega weet ons ook met deze rosé weer helemaal te verleiden. Hij steekt duidelijk uit boven die van menig concurrent vanwege een surplus aan smaak. Vol, rijp, stevig en aromatisch, met goede bitters en dorstlessende zuren. Een afdronk met lengte.

Marqués de Cáceres • Rioja
tempranillo, garnacha

€ 8 tot € 9 Plus

Verrukkelijk aromatisch met explosief fruit

Een van dé nieuwe rode wijnen van Spanje is Bierzo, gemaakt van de druif mencía. Bierzo ligt in Castilla y León, maar vertoont qua stijl meer overeenkomst met de wijnen uit Galicië, waar Bierzo direct tegenaan ligt. Deze wijnen zijn populair omdat ze heel lichtvoetig en fruitig zijn, met een uitgesproken zacht karakter. Typisch wijnen die, licht gekoeld gedronken, heel verteerbaar en sappig blijven. Dit aangename glas rode Bierzo wordt gemaakt door Martín Códax. Martín Códax bouwde een grote naam op met wijnen uit Rías Baixas in Galicië. Die reputatie wordt verder ondersteund door wat hij in Bierzo presteert. Dit is een bijna on-Spaanse frisse rode wijn, waar we erg enthousiast over zijn. Donkere tint, verrukkelijk aromatische neus met explosief fruit als bosbessen en bramen. Daarnaast ook viooltjes. Een zachte smaak, weinig tannine, vol, vlezig, mooie zuren, voortreffelijke lengte. Koel drinken.

Martín Códax • Pizarras de Otero • Bierzo
🍇 mencía

€ 7 tot € 8   Vinites

Dit is nu die moderne stijl waar Antonio beroemd om is

Bodegas Navajas in Rioja zag in 1918 het levenslicht als Bodegas Arjona. De familie Navajas kocht zich in 1978 in bij deze bodega en werd in 1983 volledig eigenaar. Toen werd ook de naam aangepast. De bodega wordt nu gerund door Antonio Navajas en zijn vrouw Rosa María Gandarias. Antonio heeft in de loop der jaren bijna een cultstatus gekregen met zijn mix van het traditionele wijn maken en het zoeken van een moderne stijl. De druivenrassen in deze wijn mogen dan klassiek zijn voor Rioja, de wijn is dat niet. Tempranillo en mazuelo (ook wel bekend als carignan) vormen de basis van deze rode wijn, maar de mazuelo speelt een bijrol. De wijn heeft baat gehad bij een jaartje extra rijping. Zwoel en peperig, zacht, kersenconfiture, lekker fruitig, versmolten tannine, elegant. Dat is die moderne stijl waar Antonio beroemd mee is geworden. Dat pure, frisse rode fruit. Mooi bij een stukje lamsvlees of belegen kaas.

Navajas • Tinto • Rioja
tempranillo, mazuelo

€ 4 tot € 5   Hoogvliet

Een knaller van een rode wijn

La Mancha, het land van de legendarische ridder en schertsfiguur Don Quichot, heeft zich gedurende de bijna 25 jaar van het bestaan van de *Wijnalmanak* ontwikkeld tot een zeer betrouwbare producent van betaalbare, uitstekende rode wijnen. Dat heeft alles te maken met het klimaat. Net als in bijvoorbeeld Chili en Argentinië is het hier in de zomer heel warm en droog, zodat de druiven maar weinig verzorging nodig hebben en vrijwel geen bestrijdingsmiddelen. Dat maakt het niet te kostbaar om in deze streek een wijn van biologisch geteelde druiven te maken – en ook nog een puike wijn. Het is ter plaatse, onder de Spaanse zon, misschien niet eens zo moeilijk om dat te doen, maar je moet als Nederlandse inkoper wel weten waar je naartoe moet. En dat is dus meer dan aardig gelukt met deze knaller van een rode wijn. Zoet zwart fruit, *rondeur* en wat pittigheid. Alle ingrediënten voor genieten.

Plus Huiswijn • Biologisch • La Mancha
🍇 tempranillo, cabernet sauvignon, shiraz

€ 3 tot € 4   Plus

Ongecompliceerde zomerwijn

Torres is altijd een voorloper geweest bij nieuwe ontwikkelingen. Rosé zat jarenlang in het verdomhoekje, maar kwam weer helemaal terug als zomerwijn. Tegen die tijd had Torres deze lekker droge (maar niet beendroge) rosé al op de markt. Precies de wijn zoals we die graag drinken: een ongecompliceerde zomerwijn, met genoeg karakter en niet te zoet. De lokale druiven garnacha en cariñena zorgen voor het mooie, zachte aroma van deze wijn, met heerlijk fruit en wat fijne zuren in de afdronk. Wel zouden we Torres willen aanraden eindelijk eens het etiket van De Casta te moderniseren. Goede wijn verdient ook een fatsoenlijke aankleding. Maar geen kwaad woord over de wijn zelf. Veel kleur, de geur van pioenroos, aardbeien en rode kersen. Vol en stevig van smaak, levendig en lang in de afdronk. Breed inzetbaar, niet alleen op het terras, maar ook bij een frisse zomerse salade.

Torres • De Casta Rosado • Catalunya
🍇 garnacha tinta, cariñena

€ 7 tot € 8   Dirck III, Gall & Gall, Oud Reuchlin & Boelen

Mooie klassieker van Torres

Tja, als dit geen evergreen is, dan weten we het niet meer. Torres is al jarenlang een van Spanjes beste en betrouwbaarste bodega's. Een echt familiebedrijf bovendien, dat zeer goede wijnen maakt, van de allergoedkoopste tot de allerduurste. Altijd is de verhouding prijs-plezier dik in orde. Dat is een compliment waard. In de tussentijd heeft Torres ook hard gewerkt aan verbeteringen. Niet alleen bij de wijnen, maar ook op het punt van de bedrijfsvoering. De focus is de afgelopen jaren met groot succes gericht op duurzaamheid. Eigen energievoorziening, minder watergebruik, zuiniger brandstofverbruik, enzovoort. Met als resultaat de titel *Green Company of the Year*. De Sangre de Toro, ofwel 'stierenbloed', is een klassieker van Torres. Goed in het hout, tomaat en kersen. Fraaie tannine en schoon in de afdronk. Welhaast net zo schoon als ze met hun eigen wijngaarden omgaan. Prijzen kunnen per verkooppunt ietsje verschillen.

Torres • Sangre de Toro • Catalunya
🍇 garnacha tinta, cariñena

€ 7 tot € 8   Dirck III, Gall & Gall, Oud Reuchlin & Boelen

Met dank aan de koele berglucht van de Pyreneeën

Zoals bijna alle 'nieuwe' wijngebieden ontkwam ook Somontano, een DO (herkomstgebied) uit 1985, niet aan de verleiding om chardonnay aan te planten voor de internationale markt. Daarnaast staan er ook bekende druivenrassen als merlot, cabernet sauvignon en syrah. Voor de chardonnay is dat goed uitgepakt dankzij het klimaat van Somontano, waarin de twee rivieren die door het gebied stromen een rol spelen: de Cinca en de Vero. Die laatste is zo belangrijk, dat het bedrijf ernaar vernoemd is. Daarnaast speelt de koele berglucht van de Pyreneeën een belangrijke rol. Alles bij elkaar genoeg voor een Chardonnay met frisheid. Open, krachtig in de neus, wit fruit als peer en perzik, rijk en sappig, met natuurlijk fraaie zuren. Een wijn met een keurige lengte, stevig maar niet te zwaar. Winnaar in zijn prijscategorie op het Spaanse Wijnconcours 2012.

Viñas del Vero • Chardonnay • Somontano
🍇 chardonnay

€ 5 tot € 6   Albert Heijn

Mooie samenwerking tussen chardonnay en macabeo

Somontano kende bij het begin van zijn tweede leven (eind jaren tachtig, begin jaren negentig) nauwelijks enige traditie. Vandaar dat er nu hoofdzakelijk internationale druivenrassen staan aangeplant. Uitzondering daarop vormt macabeo, in Spanje ook bekend als viura. Door de hoge ligging van de wijngaarden, aan de voet van de Pyreneeën, is de streek erg geschikt voor de aanplant van witte druiven, die daardoor frisser van karakter blijven, met goede zuren. Deze combinatie is lekker ongecompliceerd op het fruit gemaakt. De chardonnay zorgt voor rijkdom en rondeur, terwijl de macabeo zijn steentje bijdraagt in de vorm van zuren en karakter. Samen werkt dat perfect. De wijn is heel expressief en heeft zelfs een beetje paprika. Sap, zuren en lengte zijn in orde. Een wijn die figureerde in meerdere versies van de *Wijnalmanak*, tot terug in de jaren negentig.

Viñas del Vero • Macabeo - Chardonnay • Somontano
🍇 chardonnay, macabeo

€ 4 tot € 5   Albert Heijn

Zuid-Afrika heeft de markten in Noordwest-Europa overspoeld met goedkope bulkwijnen. Het moet nu laten zien dat het meer in huis heeft. En dat heeft het. Dit schitterende wijnland is nog lang niet aan het eind van de opwindende inhaalrace die het medio jaren negentig heeft ingezet. Integendeel: het beste moet nog komen.

Zuid-Afrika

Wie Zuid-Afrika een Nieuwe Wereldland noemt, krijgt ter plekke onmiddellijk te horen dat het land de oudste wijngaardbodem ter wereld heeft. 1 miljard jaar oud, om precies te zijn. Daar is Frankrijk een nieuwkomertje bij. Toch is de productie van kwaliteitswijn in Zuid-Afrika nog jong en is de spannende zoektocht naar de beste plekken voor de beste druiven nog lang niet afgerond.

Zuid-Afrika is op mondiale schaal een middelgrote speler met een plaats in de tweede helft van de top 10. Het staat op de achtste plaats om precies te zijn, met een aandeel van 3,5 tot 4% binnen de wereldwijnhandel. Op de Nederlandse markt is Zuid-Afrika gemeten naar volume overigens wel nummer twee, na Frankrijk. Met zijn 100.000 hectare wijngaarden is dit wijnland qua aanplant ongeveer even groot als Duitsland. De gemiddelde jaarlijkse productie schommelt rond een 100 miljoen liter, waarvan ongeveer 40% uitgevoerd wordt. Sinds 2000 is de Zuid-Afrikaanse wijnexport meer dan verdubbeld.

Dat mocht ook wel, want het binnenlands verbruik daalt al jaren en ligt op slechts 7 liter per hoofd van de bevolking.

Verreweg de meeste Zuid-Afrikaanse wijn wordt al sinds jaar en dag geproduceerd in de provincie West-Kaap (Weskaap/Western Cape), in een grote boog rond Kaapstad. Alleen in dat deel van het land, niet te ver landinwaarts vanaf de Atlantische en Indische Oceaan, zijn de omstandigheden gematigd genoeg voor wijnbouw. De dominante positie van de West-Kaap is te vergelijken met die van Californië binnen de VS. Pas op grote afstand volgt de Noord-Kaap als tweede. Wijnbouw in andere provincies, zoals die in de Vrijstaat en KwaZoeloe-Natal, is maar heel klein van omvang.

Eigen status

Noem Zuid-Afrika geen Nieuwe Wereldland, want je krijgt onmiddellijk te horen dat het land de oudste wijngaardbodem ter wereld heeft. 1 miljard jaar oud maar liefst. De Zuid-Afrikanen wijzen je daar graag op, om voor hun wijnland een speciale plaats te claimen. Ook zijn ze trots op de wijnmaaktraditie, die teruggaat tot het midden van de zeventiende eeuw. Waar ze al even trots op zijn, is hun Kaapse flora, de meest soortenrijke en gevarieerde van de hele wereld. Een mooier visitekaartje voor je wijnherkomstgebieden kun je moeilijk wensen.

Zo'n uitzonderlijke omgeving schept natuurlijk wel de verplichting om uitzonderlijke wijnen te maken. De eerste pogingen daartoe zijn alweer zo'n drieënhalve eeuw geleden ondernomen, toen de VOC een

Wijngaard in Constantia

verversingsstation voor Indiëvaarders aan de Kaap stichtte. De Kaapse wijnbouw heeft lange tijd maar beperkt succes gekend, want eigenlijk hebben werkelijk interessante wijnen lang op zich laten wachten. De enige uitzondering was de fameuze zoete Vin de Constance die als favoriete wijn van gekroonde hoofden tot ver in de negentiende eeuw een vergelijkbare status had als Tokaj uit Hongarije. Maar helaas, de wijngaard verpieterde in diezelfde eeuw door een mysterieuze plantenziekte, waarmee deze legendarische wijn voorgoed verdween.

Pas in de jaren tachtig van de twintigste eeuw kwam er een verschuiving in prioriteiten op gang, met steeds meer focus op kwaliteit in plaats van kwantiteit.

Isolement

Zuid-Afrika is een geïsoleerd wijnland. Desondanks is het er niet in geslaagd om narigheid buiten de deur te houden. In de negentiende eeuw kreeg het net zo-

Wijnparadijs Zuid-Afrika

Hollands glorie

De oerknal voor de Zuid-Afrikaanse wijnbouw vond rond 1650 plaats, toen in de tuin van de Verenigde Oost-Indische Compagnie in Kaapstad de eerste wijnstokken geplant werden. Gouverneur Jan van Riebeeck kon in 1652 opgetogen melden dat de eerste wijn geoogst was. Hoewel hij nog steeds gezien wordt als de stichter van de Zuid-Afrikaanse wijnbouw, komt die eer eigenlijk aan zijn tuinman Hendrik Boom toe.

Die eerste Kaapse wijnen schijnen in smaaktechnisch opzicht overigens van zeer dubieuze aard geweest te zijn, omdat het de eerste kolonisten aan enigerlei expertise op het gebied van wijn maken ontbrak. De wijn werd door de bestuurders van de VOC in Holland zelfs als ondrinkbaar beschouwd. Pas met de komst van een groep Franse hugenoten kwam er wel kennis en ervaring op het gebied van wijnbouw. En wanneer er één gouverneur is die een pluim verdient om zijn inzet voor de Kaapse wijnbouw, dan is het wel Simon van der Stel, de man die het landgoed Constantia – waar later de beroemde Vin de Constance vandaan zou komen – liet aanleggen en zijn naam gaf aan de huidige Zuid-Afrikaanse wijnhoofdstad Stellenbosch.

Stellenbosch

Wijngoed Groot Constantia

zeer als Europa te lijden onder allerhande plantenziekten met een desastreuze uitwerking. Ze leidden tot een diepe crisis. In de twintigste eeuw voerde het land een contraproductieve quarantainepolitiek, waardoor plantmateriaal uit Europa het land bijna niet in kon komen, tenzij het gesmokkeld werd. Dit zorgde ervoor dat duizenden hectaren wijngaarden door en door besmet raakten met virussen die een langzame maar zekere degeneratie van de stokken tot gevolg hadden. Ook de boycot wegens de apartheidspolitiek deed de wijnbouw bepaald geen goed. In de loop van de jaren negentig konden Zuid-Afrikaanse wijnmakers eindelijk volop overzeese ervaringen opdoen en gaan werken met virusvrij plantmateriaal. Een zegening voor de wijnbranche.

Wijn van oorsprong

Zuid-Afrika kent al sinds 1972 een systeem van herkomstbenamingen onder de noemer *Wine of Origin/Wyn van Oorsprong*, afgekort als WO. Binnen dit systeem wordt een onderverdeling gemaakt

Le Rhone, Franse naam in Franschhoek

naar regio's, districten en deelgebieden (*wards*) en sinds kort ook naar individuele wijngaarden. In totaal zijn er nu ongeveer negentig officieel erkende benamingen, zij het dat de indeling ervan niet altijd even logisch overkomt en een aantal wards vooral een papieren werkelijkheid vormt. Toch hebben die subappellations in bepaalde gevallen alle recht van bestaan. Zie bijvoorbeeld een uitgestrekte WO als het district Stellenbosch: zo uitgestrekt dat een vergelijking met een Franse gemeenteappellation volstrekt niet op zou gaan. Binnen Stellenbosch zijn dan ook behoorlijk grote klimaatverschillen aan te wijzen tussen het betrekkelijk koele deel vlak bij de kust en meer landinwaarts gelegen warmere delen. De indeling in zeven wards is dus zinvol. Op etiketten kom je die echter maar mondjesmaat tegen.

Producent biedt houvast

Een beetje verwarrend is ook dat Kaapse producenten hun wijnen regelmatig onder verschillende WO's aanbieden. Het feit dat het bedrijf zelf in een bepaalde WO ligt, wil niet zeggen dat er geen druiven uit andere WO's gebruikt worden. Integendeel zelfs. (Merk)wijnen die samengesteld zijn uit fruit dat in diverse herkomstgebieden geteeld is, vallen onder regionale benamingen als Western Cape of Coastal Region. Dat zijn over het algemeen wijnen van standaardkwaliteit, maar er zit ook wel eens een topper tussen.

Een WO bepaalt overigens alleen maar waar de druiven vandaan komen, maar stelt geen specifieke eisen aan de wijn zelf of aan de manier waarop die gemaakt wordt. Moraal van het verhaal: de reputatie van de producent biedt een beter houvast voor kwaliteit dan de herkomst. Maar waar is dat eigenlijk niet zo?

Meer rood dan wit

In 1998 bestond de Zuid-Afrikaanse aanplant nog voor driekwart uit witte druivenrassen en voor maar een vierde uit blauwe. Een verklaring voor die scheve verhouding is dat veel van die witte druiven gebruikt werden om basiswijn voor brandy van te maken.

De rollen zijn intussen volledig omgekeerd. Nu is de verhouding tussen blauw en wit in het voordeel van blauw. Zuid-Afrikaanse producenten dachten namelijk

Wijngoed La Motte

dat de wereldmarkt een onverzadigbare behoefte aan rode wijn zou hebben. Vandaar dat er, met het inzicht van nu, wat al te enthousiast witte stokken gerooid zijn, vooral in potentie waardevolle oude percelen met chenin blanc. Naar is gebleken valt het met die mondiale onverzadigbaarheid wat betreft rood nogal mee. Of, afhankelijk van je verwachting, misschien juist tegen. In elk geval heeft wit bij de aanplant van nieuwe wijngaarden nu weer een streepje voor, mede dankzij de grote populariteit van Kaapse Sauvignon Blanc.

Cultivars

Zoals in alle wijnlanden op het zuidelijk halfrond ligt de nadruk in Zuid-Afrika op de productie van wijnen van één enkel ras. Aan de Kaap staan vandaag de dag ongeveer dertig verschillende druivenrassen aangeplant, waarvoor hier zowel in het Afrikaans als het Engels de term *cultivars* gebruikt wordt. De meeste van die cultivars spelen in kwantitatief opzicht slechts een bescheiden rol, maar ze zorgen natuurlijk wel voor de broodnodige variatie in het aanbod.

De belangrijkste witte druif en tegelijk de meest aangeplante van wit en blauw samen is chenin blanc, gevolgd door colombard (die veel voor brandy gebruikt wordt), sauvignon blanc en chardonnay. Koploper bij de blauwe rassen is cabernet sauvignon, met als runners up shiraz (syrah), merlot en pinotage. Pinotage wordt wel de 'eigen' druif van de Kaap genoemd, maar hij komt niet verder dan 6% van de totale aanplant en de achtste plaats in het rijtje van meest geteelde druivenrassen. Meer zit er ook niet in. Wel is het zo dat pinotage

Elim

Verkoelende invloed van zee

Vonkelwyn en curiosa

Zuid-Afrikaanse wijnen zijn over het algemeen stil, droog en onversterkt. Maar er zijn een paar uitzonderingen. De meest in het oog springende is de mousserende *vonkelwyn* en dan bij voorkeur de wijn die gemaakt is volgens de *Méthode Cap Classique*, naar het voorbeeld van champagne. Niet zo makkelijk om te produceren in een vrij warme omgeving, maar ze kunnen opmerkelijk goed zijn. Kaapse *sjerrie* wordt nauwelijks nog geproduceerd, maar met 'port' – die in Europa niet zo mag heten – ligt dat anders. Het is een specialiteit van Calitzdorp en omgeving in de Klein Karoo.

Eveneens zoet en mediterraan geïnspireerd qua productiewijze zijn de traditionele Afrikaanse versterkte wijnen op basis van muscadel, alias muscat, alias hanepoot. Om af te sluiten nog een categorie zoet, maar dan van de onversterkte soort: de Noble Late Harvest, gemaakt van zeer rijpe druiven met edele rotting (botrytis; zie het hoofdstuk Duitsland).

Atlantische of Indische Oceaan?

Niet Kaap de Goede Hoop, maar Kaap Agulhas vormt het zuidelijkste puntje van Afrika, en daarmee ook het officiële scheidingspunt tussen de Atlantische en Indische Oceaan. Beide worden doorgaans in één adem genoemd als de verkoelende invloed op de Kaapse wijngaarden ter sprake komt. Een nauwkeurige blik op zowel de geografische kaart als die waarop de verbreiding van de wijnbouw staat, leert echter dat die verkoeling vrijwel uitsluitend van de Atlantische Oceaan komt. Ook de Valsbaai, aan de zuidkant van Stellenbosch, behoort tot die Atlantische Oceaan. Het water daarvan is zo koud, dat zwemmen er geen onverdeeld genoegen is. De aanwezigheid van bijtgrage grote haaien draagt daar trouwens ook aan bij.

Oogst in Stellenbosch

een verplicht bestanddeel is van zogeheten *Cape Blends*, die dienst moeten doen als uniek visitiekaartje van Zuid-Afrika. Aan de Kaap kom je verder ook de onvermijdelijke blends van Bordeaux- en Rhônedruiven tegen. Waarschijnlijk zullen dat er steeds meer worden: zulke blends hebben in de regel een grotere complexiteit te bieden dan wijnen van één druivenras.

Uitdagingen

Hoe mooi de wijngaarden van de Kaap er ook bij liggen, wijn maken in Zuid-Afrika gaat niet zonder slag of stoot. Tenminste, wanneer het om wijnen van hoge kwali-

Wijnproducent Durbanville Hills

teit gaat. Een van de problemen is de hoge zuurgraad van veel bodems. Het betekent dat die bodems regelmatig met kalk 'gevoed' moeten worden en dat aan de zuurarme wijnen wijnsteenzuur moet worden toegevoegd.

Een andere uitdaging is de beheersing van de alcoholpercentages. Het is aan de Kaap weliswaar niet zo heet als in het hart van Afrika, maar flink warm is het er wel. Suikervorming in de druiven verloopt er dus gemakkelijk en snel. Vroeg plukken gaat eventueel nog wel bij witte druiven, maar bij blauwe is dat een stuk lastiger, omdat ook de tannine goed rijp moet worden.

En die heeft de tijd nodig, ook wanneer de druif al genoeg suikers heeft. Hoe langzamer de rijping verloopt, des te groter de kans op wijnen met evenwicht en frisheid.

Weg van de hitte

Lange tijd lagen de Kaapse wijngebieden, althans die voor kwaliteitswijnen, dicht bij 'moederstad' Kaapstad. Vanaf het midden van de jaren negentig kwamen nieuw ontwikkelde gebieden echter steeds verder weg te liggen. Deze ontwikkeling is het gevolg van de zoektocht naar koelte. Die vind je ofwel door de hoogte op te zoeken, ofwel door je aan de kust te vestigen. De nieuwe, koele gebieden in Zuid-Afrika zijn hoofdzakelijk te vinden langs de kust van de Atlantische Oceaan.

Koelte is in Zuid-Afrika natuurlijk een relatief begrip. Je moet het interpreteren als 'minder warm'. Vergelijkingen met, pakweg, de Champagne, Nederlands Limburg of het Canadese Niagara Peninsula gaan echt volledig mank. In een Kaaps *cool climate* heb je geen wijngaarden met winterse sneeuw, maar eerder aangepaste mediterrane condities, inclusief palm- en olijfbomen. Wel heel plezierig natuurlijk.

Overigens is koelte niet zaligmakend voor het maken van spannende wijn. Als er de afgelopen jaren immers één gebied aan de weg getimmerd heeft met opzienbarende wijnen, dan is het wel Swartland. Dat ligt ten noorden van Kaapstad en is zo warm en droog, dat vooral graan er goed gedijt. Toch heeft een stel jonge honden van wijnmakers er een ware revolutie weten te ontketenen met opzienbarende wijnen in Rhônestijl. Dat kan dus ook.

Specialisatie

Tot ver in de jaren negentig was het de normaalste zaak van de wereld dat Zuid-Afrikaanse producenten er uitgebreide assortimenten met wijnen van allerhande druivenrassen op nahielden, niet zelden allemaal aangeplant in de eigen wijngaard. Of die wijngaard in Stellenbosch of Paarl voor al die uiteenlopende druivenrassen wel even geschikt was, deed er minder toe. Daar denkt men tegenwoordig wat anders over.

Bedrijven en gebieden zijn zich meer gaan specialiseren. Het gebeurt daarom regelmatig dat producenten met eigen wijngaarden toch druiven van derden uit andere gebieden aankopen voor het maken van een bepaald type wijn. Een goed voorbeeld van een gebied dat zich sterk

Rode bodem in Swartland

toegelegd heeft op één bepaalde druif is het koele Elgin, dat appelbomen ingeruild heeft voor stokken sauvignon blanc. Niemand die het daar in zijn hoofd zou halen om cabernet sauvignon aan te planten. Daar is Stellenbosch weer veel beter in. Nog een paar voorbeelden. De Hemel en Aarde Vallei bij Hermanus profileert zich nadrukkelijk als een gebied voor pinot noir, Swartland als gebied voor syrah, Robertson voor chardonnay.

Liever wat kleiner

Een andere belangrijke ontwikkeling is de opkomst van boetiekkelders geweest.

Bushalte in de wijngaard

Kust bij Hermanus

Volgens de Zuid-Afrikaanse normen zijn dat bedrijven die per oogst minder dan 100.000 kilo druiven verwerken. Het gaat daarbij dus om kleine, behoorlijk 'Europees' aandoende producenten. In de regel leggen die zich bewust toe op een bepaald type wijn en willen ze niet meer zo nodig alles tegelijk doen. Vooral na 2000 zijn dergelijke bedrijven als paddenstoelen uit de grond geschoten. Het zijn er inmiddels zo'n 260, op een totaal van circa 600 zelf bottelende bedrijven.

Zegels sparen

De slagzin van de Zuid-Afrikaanse wijn-bouw is een fraaie: *diversity is in our na-ture.* Die slogan slaat zowel op de natuur-lijke omstandigheden van de Kaap als op de maatschappelijke. Zuid-Afrika worstelt nog steeds met zijn recente verleden, dat gekenmerkt werd door grote raciale tegen-stellingen en bijbehorende sociale onge-lijkheid. Onder invloed van de gewijzigde politieke situatie wordt geprobeerd daar wat aan te doen. Een van de manieren waarop dat gebeurt is, op z'n Afrikaans, *swart ekonomiese bemagtiging,* het bij de economie betrekken van mensen die daar voorheen van uitgesloten waren. Binnen de wijnbouw zijn dat de landarbeiders. Die krijgen nu onder andere de gelegen-heid om hun eigen wijnen te leren maken. Veel van de maatschappelijk verantwoorde Zuid-Afrikaanse wijnen zijn herkenbaar aan het fairtradecertificaat. In dezelfde lijn ligt het zegel dat verstrekt wordt door de Wine & Agricultural Ethical Trade Asso-

Wijntoerisme

Duidelijkheid voor bezoekers

ciation (WIETA). En daarbij blijft het niet. Het Biodiversity & Wine Initiative (BWI) biedt producenten de kans om kopers te laten zien dat ze het beste voorhebben met natuur en duurzaamheid. En alsof dat allemaal nog niet genoeg is, zijn er nog de medaillezegels van diverse wijncompetities. Zuid-Afrikanen lijken er dol op te zijn.

Ideale wijnvakantie

Wijn smaakt het best daar waar hij geboren wordt. Als wijnland Zuid-Afrika één grote troef heeft, om maar niet te zeggen een absoluut *unique selling point*, dan is het wel zijn aantrekkelijkheid als reisbestemming. In de wijngebieden heeft men dat heel goed begrepen. Er is daar voor een toeristische

infrastructuur gezorgd om je vingers letterlijk en figuurlijk bij af te likken.

Landschappelijk schoon, een kleurige flora, gastvrijheid, prima accommodatie, professionele proefruimtes op de bedrijven, een overvloed aan uitstekende restaurants (ook op wijngoederen zelf), mooi weer... Wijntoerisme aan de Kaap is gegarandeerd feest. Wie er een keer geweest is, is voor altijd verkocht.

Zuid-Afrika kort

- Aanplant: 100.000 ha
- Aantal producenten: 600
- Aantal druiventelers: 3500
- Aandeel witte wijn: 44%
- Aandeel rode wijn: 56%
- Belangrijkste witte druivenrassen: chenin blanc, colombard, sauvignon blanc
- Belangrijkste blauwe druivenrassen: cabernet sauvignon, shiraz (syrah), merlot, pinotage
- Belangrijke gebieden: Stellenbosch, Paarl, Franschhoek, Robertson, Swartland, Tulbagh, Durbanville, Constantia, Elgin, Walker Bay

Kracht, rijpheid en enorm veel smaak

Swartland, ten noorden van Kaapstad, is momenteel het gebied in Zuid-Afrika waar het 'gebeurt'. Mede door de impuls van een aantal onconventionele, maar supergetalenteerde wijnmakers die er sinds 2000 zijn neergestreken om hun geluk te beproeven. Een van hen is Adi Badenhorst, die eerder furore maakte als wijnmaker van Rustenberg in Stellenbosch. Swartland ligt wat verder van de oceaan af en is iets warmer dan Stellenbosch. Maar Badenhorst heeft, met onder andere zijn collega Eben Sadie, laten zien dat Swartland erg geschikt is voor de klassieke druif van Zuid-Afrika, chenin blanc. Er staan hier nog veel oude stokken van, die prachtige wijnen opleveren, zoals dit heerlijke glas wit. Adi's Chenin Blanc heeft veel in zijn mars: kracht, rijpheid en enorm veel smaak. Bloesem, perzik, abrikoos, uitstekende zuren en lengte. Geweldige wijn, die ook best nog even kan rijpen.

Badenhorst Family Wines • Secateurs Chenin Blanc • Swartland
chenin blanc

€ 9 tot € 10   Gall & Gall

Een schot in de roos, dit warme Kaaps rood

Voorheen was dit de 'Cabernet Sauvignon with a splash of Cabernet Franc'. De *splash* is van het etiket verwijderd; het is nu Ancient Earth. Daarmee wil de getalenteerde wijnmaker Niël Groenewald meer aandacht vestigen op het terroir en minder op de toegevoegde druif. Hij kan ook per jaargang kijken of hij de druif die aan cabernet sauvignon wordt toegevoegd, wil veranderen. Maar bij deze Ancient Earth is net als in voorgaande jaren 15% cabernet franc gebruikt om de cabernet sauvignon wat extra spetterend fruit te geven. Tot 15% hoeft dat wettelijk niet te worden vermeld. Het is een wijn met een typisch Zuid-Afrikaanse inslag, waarmee Niël Groenewald de juiste snaar bij de liefhebber van Kaaps rood weet te raken. Deze Bordeauxblend is een schot in de roos. Warm, volbloed Zuid-Afrikaans, krachtig en kruidig met mooie tannine en een vleugje paprika, zwart fruit en munt. Al met al heel smaakvol.

Bellingham • Cabernet Sauvignon Ancient Earth • Coastal Region
🍇 cabernet sauvignon, cabernet franc

€ 9 tot € 10   Intercaves, Mitra, Uw Topslijter

Weelderige eetwijn voor exotische gerechten

Deze witte wijn van Bellingham is een schoolvoorbeeld van innovatie binnen de Zuid-Afrikaanse wijnbouw. De van oorsprong Franse chenin blanc was aan de Kaap jarenlang de dominante witte druif, maar de wijnen ervan waren niet altijd even opwindend. Sterker nog, de meeste chenin werd verwerkt tot bulkwijn of gedistilleerd tot sterke drank. Dat is inmiddels wel anders, nu chenin een ware comeback beleeft en hij soms ook gemengd wordt met een andere druif. Met viognier bijvoorbeeld, eveneens een druif van Franse origine. In Frankrijk zelf zou een dergelijke combinatie ondenkbaar zijn, in Zuid-Afrika niet. Alles kan, waarom niet? En de wijn? Die geurt intens naar gele pruimen, citroenschil en bloesem. In de smaak is hij rijp en rijk, met fruit als peer, perzik en abrikoos, plus wat honing. Weelderig is het juiste woord. Echt een eetwijn. Denk aan Thaise noedelgerechten, pho of gerechten uit de Chinese keuken op basis van bouillon, noedels en kip.

Bellingham • Chenin Blanc - Viognier • Coastal Region
chenin blanc, viognier

324

€ 5 tot € 6   Dagwinkel, Intercaves, Mitra, Troefmarkt, Uw Topslijter

Frisse Sauvignon zonder trucs: puur natuur

Danie de Wet, eigenaar van De Wetshof in Robertson, is een van de grote namen in de Kaapse wijnindustrie. Sterker nog, hij was de eerste geregistreerde wijnmaker in Robertson. Sindsdien heeft hij voornamelijk bekendheid geoogst met zijn wijnen van chardonnay. Gelukkig is hij zich blijven ontwikkelen. Hij maakt namelijk ook heerlijke wijnen van andere druiven. Zijn twee zoons Johann en Peter werken tegenwoordig volledig mee in het bedrijf. Behalve wijnen uit eigen wijngaarden maakt het bedrijf ook voortreffelijke instapwijnen met een ongeëvenaarde prijs-kwaliteitverhouding. Daarvoor worden druiven ingekocht, maar de wijn wordt natuurlijk wel gemaakt door de heren De Wet. Waren er zo maar meer in Zuid-Afrika! Niet overdreven aromatisch, maar juist heel natuurlijk. En verder met alles wat bij een frisse, fruitige Sauvignon hoort. Zonder trucs. Simpel toch? Een heerlijk lichtvoetig en luchtig exemplaar, perfect als aperitief.

Danie de Wet • Sauvignon Blanc • Robertson
🍇 sauvignon blanc

€ 4 tot € 5   Jan Linders, Plus

Stevig, fruitig en ideaal voor feestjes

Delheim is een van die sympathieke familiewijngoederen in Stellenbosch die al lang en breed bestonden voor de grote hausse daar in de tweede helft van de jaren negentig losbarstte. Oorspronkelijk heette het wijngoed De Driesprong. Het werd in 1939 gekocht door Hans Hoheisen, die het vernoemde naar zijn vrouw Deli. In 1951 kreeg zijn neef Spatz Sperling de leiding en inmiddels staat alweer de tweede generatie van de familie Sperling aan het roer. Deze *winery* is een van de oudgedienden van de *Wijnalmanak*, net als Simonsig, elders opgenomen in deze gids. We hebben hier een prima rosé van pinotage. Bleekroze, met allerhande rood fruit, eerder stevig dan licht. Om de wijn wat toegankelijker te maken, hebben ze er 7% muscat de frontignan aan toegevoegd; deze druif zorgt voor een fruitige *touch*. Dat is precies wat deze wijn zo aantrekkelijk maakt. Een ideale wijn voor feestjes, want iedereen lust 'm. Heel geslaagd.

Delheim • Pinotage Rosé • Stellenbosch
🍇 pinotage

€ 7 tot € 8 Poot Agenturen

Intens, zwoel en toch een beetje pittig

Oppassen: verwar Eagle Crest niet met Eagle's Nest, ook Zuid-Afrikaans, maar dan uit Constantia. Voor Crest moeten we in Swartland zijn, de streek waar het momenteel allemaal lijkt te gebeuren. En kijk eens, naast de regionale specialiteit shiraz (syrah) vind je in deze blend ook wat malbec. Ongewoon, maar functioneel. Je proeft het intense zwarte fruit van Swartland, zwoele confiture, souplesse met wat pittigheid. Technisch verzorgd Kaaps rood, in stijl én prijs aangenaam laagdrempelig. Je staat er als consument misschien niet bij stil, maar wijnboeren lopen hier tegen heel andere problemen aan dan in Europa. Een van de wijnmakers vertelt bijvoorbeeld dat ze de druiven moeten beschermen tegen bavianen. Die zijn gek op het rijpe fruit. Dus vooral in de oogsttijd verliezen ze nogal wat van de productie aan 'de buren', zoals de dieren op het domein genoemd worden. Kom daar maar eens om in Frankrijk!

Eagle Crest • Shiraz - Malbec • Swartland
🍇 shiraz, malbec

€ 5 tot € 6 Jumbo

Smakelijke, onvervalst Kaapse braaiwijn

Robertson is voor de Kaap een belangrijke wijnstreek, waar veel lekkere en betaalbare wijnen vandaan komen. Het ligt landinwaarts, op zo'n anderhalf uur rijden ten noordoosten van Kaapstad. Het klimaat is warm, maar in de middag stroomt er wind van zee het dal van de Breederivier in, zodat het lekker afkoelt. Een ideaal klimaat voor syrah – hier op z'n Australisch shiraz genoemd – vanwege het rijke en zwoele karakter van de wijnen die hij oplevert. Robertson Winery, een betrouwbare coöperatie in deze streek, weet daar wel raad mee. Het bedrijf telt 35 leden, familiebedrijven, die samen 2400 hectare wijngaarden bezitten. Dit soort coöperaties heeft de afgelopen decennia hard gewerkt aan de kwaliteit, en dat proef je. Een smakelijke, onvervalst Kaapse braaiwijn, die veel mensen lekker zullen vinden. Shiraz in een stevige en kruidige uitvoering. Flink wat body, 13,5% alcohol, fruitconfiture, peper, zwarte olijven, houtaroma's, heel soepel. Voelt zich thuis bij geroosterd lam.

Robertson Winery • Shiraz • Robertson
🍇 shiraz

€ 6 tot € 7 Henri Bloem

Rijke, dikke stijl met een klein zoetje

De familie Malan van Simonsig stond mede aan de wieg van de enorme vlucht die Stellenbosch zou nemen. Frans Malan, vader van de drie broers die nu het bedrijf leiden, was indertijd een van de initiatiefnemers van de toeristische *wynroete*. De eerste oogst chenin blanc was in 1968. Het bleek een goede keuze. Waar andere wijnmakers deze druif rooiden of hem gebruikten voor het stoken van alcohol, ging Frans Malan tegen de stroom in. Hij wilde kwaliteitswijnen maken van chenin blanc. Simonsig produceert een breed gamma wijnen, waarin Chenin Blanc een vaste waarde is. Het is een wijn in een rijke, dikke stijl, met een klein zoetje. Zacht en open. We treffen voorjaarsbloemen, perzik, peer, abrikoos en een aangenaam zuurtje na. Toegankelijke stijl. Een wijn om in te zetten bij stevige visgerechten, maaltijdsalades en asperges of als begeleider van zachte Europese kazen met niet al te pittige worsten erbij.

Simonsig • Chenin Blanc • Stellenbosch
🍇 chenin blanc

€ 7 tot € 8 Kwast Wijnkopers

Lichte rode wijn, soepel en fris

Dubbelgoedgevoelwijn. Geproduceerd door een bedrijf in het noordelijke Olifantsrivier dat niet alleen ecologisch betrokken is, maar ook maatschappelijk. Zo zijn er op het terrein een kinderdagverblijf en een schooltje voor de kinderen van de wijngaard-medewerkers. Ook wordt zorg gedragen voor huisvesting en scholing van de medewerkers. Hiervoor is de Joint Body opgericht. Daarin zitten mensen die door de wijngaardmedewerkers gekozen worden om met het management van Stellar Organics te overleggen waar het geld van de fairtradewijnen aan uitgegeven moet worden. Inmiddels is de Joint Body voor 26% eigenaar van het bedrijf. Bij deze Pinotage twijfelden we even of we nu met een donkere rosé of een lichte rode wijn te maken hebben. We houden het toch maar op een rode wijn met korte schilinweking. Op het fruit gemaakt, soepel en fris van smaak, met in de finale ook dat licht rustieke van de pinotagedruif.

Stellar Organics • Pinotage • Western Cape
🍇 pinotage

€ 5 tot € 6 Dirck III (Biologisch)

330

Verleidelijke, gulle blend boordevol fruit

Op hun T-shirts staat: *Have you been Vondeled lately?* Opmerkelijk bedrijf, dat wijngoed Vondeling in Paarls Voor-Paardeberg. We proefden er diverse wijnen die naar meer smaakten. Volgens de boekjes hoort het wijngebied Voor-Paardeberg bij Paarl, maar qua ondergrond en klimaat is het eigenlijk een deel van Swartland, de streek die aan de noordkant ligt van Voor-Paardeberg. Het domein is heel mooi gelegen en biedt prachtige vergezichten over Paardeberg en de wijngaarden, met in de verte de Tafelberg. Mede om die reden is Vondeling ook een populaire trouwlocatie. Wijnmaker Matthew Copeland maakt verschillende monocépages, wijnen van één druivenras. Toch zijn de blends hier het meest aantrekkelijk. Ook deze blend van merlot en cabernet sauvigon kan onze goedkeuring wegdragen. Mooi in het fruit en het sap. Met wat zwarte bessen, bramen en bosbessen. Veel smaak, aardse warmte, zacht afgerond. Verleidelijk en gul. Die mogen ze best bij onze voordeur te vondeling leggen.

Vondeling • Merlot - Cabernet Sauvignon • Voor-Paardeberg
❀ merlot, cabernet sauvignon

€ 8 tot € 9   AH Wijndomein, Albert Heijn

Zacht fruit, vleugje hout:
Merlot zonder poespas

Van de wijngebieden van De Kaap is Stellenbosch verreweg het bekendst en het meest prestigieus. De streek trekt daarom ook rijken aan, die hier als een soort hobby een mooie wijnboerderij kopen. Het voordeel van Stellenbosch is dat het direct aan zee ligt en het daardoor in de middag goed afkoelt. Zeker voor merlot is dat essentieel, omdat deze druif niet goed rijpt onder te hete omstandigheden. Alleen bij enige koelte krijgt de wijn zijn frisse merlotfruit. In dit aangename glas is dat fruit gecombineerd met een prettig vleugje hout. Wanneer je op het etiket een formulering als *careful oak treatment* ziet staan, houd je je hart vast. We kennen dat soort eufemismen maar al te goed. Maar bij Welmoed klopt het wat ze beweren. Het hout speelt een dienende rol, zodat het zachte fruit in de wijn volledig in zijn waarde gelaten wordt. Merlot zonder poespas en voor een nette prijs.

Welmoed • Merlot • Stellenbosch
🍇 merlot

€ 5 tot € 6 Albert Heijn

Een verademing,
zo'n ingetogen, frisse Viognier

De wijnmaker van Welmoed, Bernard Claassen, is een zelfverklaard liefhebber van sauvignon blanc en syrah. We moeten hem eens vragen of hij bij wit niet beter viognier kan kiezen als favoriete druif, want wat weet hij daar goed mee om te gaan! Neem deze wijn. Van viognier heet het altijd dat die heel rijp geplukt zou moeten worden om aan de goede aroma's te komen. De keerzijde van de medaille is dat de wijn dan nogal eens alcoholisch en vlak wordt. Daarom is de Viognier van Welmoed, met maar 12,5% alcohol, een verademing. Ingetogen in geur en smaak, maar heerlijk fris. Groene meloen, knisperende granny smith, in de afdronk een drupje limoen. Voelt zich thuis bij vis, net als wijnmaker Bernard. Die springt als het maar even kan op zijn surfplank, om zich op die manier te ontspannen. Wat hij daarna drinkt? Een biertje. Alles heeft zijn eigen moment...

Welmoed • Viognier • Stellenbosch
🍇 viognier

€ **5 tot € 6**   Albert Heijn

n *Het beste van de Wijnalmanak* hebben we de belangrijkste wijnlanden de revue laten passeren. Maar dat wil uiteraard niet zeggen dat er geen andere wijnlanden zijn, en dat daar geen mooie wijnen vandaan komen. Er wordt tegenwoordig op steeds meer plaatsen op de aardbol wijn gemaakt en vaak ook in steeds grotere hoeveelheden. Het was dus ook een lastige afweging welke landen we zouden opnemen en welke we, vanwege de ruimte, moesten laten afvallen.

Overige wijnlanden

Oogst in Californië

Verenigde Staten

Het grootste wijnland dat moest afvallen, was de Verenigde Staten, met Californië als belangrijkste 'wijnstaat'. Het promotiebureau voor Californische wijnen zal ons dat niet in dank afnemen, maar in de praktijk hebben Amerikaanse wijnen het moeilijk op onze winkelschappen. De beste Californische wijnbedrijven verkopen hun wijnen vooral in de VS zelf, voor (zeer) hoge prijzen. Deze toppers zijn niet op de export gericht. Hetzelfde geldt voor de wijnen uit andere staten, zoals de voortreffelijke Pinot Noir uit Oregon, of de fraaie Riesling die in Washington State gemaakt wordt. Deze wijnen zijn simpelweg te duur voor de *Wijnalmanak*.

De eenvoudigere en dus in principe gidswaardige wijnen uit de VS worstelen met de prijs-plezierverhouding, zodat ze het in de supermarkten behoorlijk moeilijk hebben. Daarom ook hebben ze in de *Wijnalmanak* van het begin af aan een betrekkelijk marginale rol gespeeld. Bij dit hoofdstuk hebben we er één geselecteerd, gemaakt van wat je de 'klassieke' Californische druif mag noemen: zinfandel. Een druif die een krachtige en volle wijn oplevert, typisch voor Californië.

Californië

Het Californische klimaat moet, net als het Chileense, zijn verkoeling krijgen van de Stille Oceaan. Wijngaarden die dicht bij de kust liggen, zijn het koelst; landinwaarts is het aanzienlijk warmer. Deze variatie stelt Californië in staat om werkelijk alle denkbare druiven met succes aan te planten. Pinot noir is een mooi voorbeeld. Deze druif heeft écht koelte nodig, en krijgt die bijvoorbeeld in de wijngaarden van Santa

Wijnstokken in Luxemburg

Barbara County, ten noorden van Los Angeles, op enkele tientallen kilometers afstand van de oceaan.

Californië dankt zijn faam als wijngebied vooral aan cabernet sauvignon. De mooiste wijnen van deze druif komen uit Napa Valley, Californiës beroemdste wijnstreek, iets ten noorden van San Francisco. Het wat koelere Sonoma County – dat ten westen van Napa Valley ligt – is dan weer beroemd om zijn bijzondere Chardonnay. Californië is niet alleen een veelzijdige wijnstaat, maar ook een grote: het is het op drie na grootste wijnproducerende 'land' ter wereld.

Luxemburg

Uit het kleine wijnland Luxemburg hebben we één wijn geselecteerd, waarvan we vonden dat hij niet mocht ontbreken. De wijngaarden van Luxemburg liggen op de westelijke oever van de Mosel. Belangrijke druiven in Luxemburg zijn riesling, rivaner (alias müller-thurgau), pinot gris en pinot blanc. De eenvoudige elbling wordt steeds minder verbouwd op de in totaal 1200 hectare wijngaarden van dit bescheiden wijnland. Daarmee is de druivensamenstelling een aardige mix van de Elzas en de Mosel in Duitsland, net als de stijl van de wijnen dat is.

Wijnwinkel in het Hongaarse Eger

Hongaars uithangbord

Hongarije

De wijnlanden achter het IJzeren Gordijn moesten wachten op de val van de Muur om serieus te kunnen gaan werken aan de kwaliteit van hun wijnen. Onder het communistische systeem was bijvoorbeeld de zoete Tokaj, het kroonjuweel van de Hongaarse wijn, verworden tot een suikerig niemendalletje. Er was geen enkele prikkel om de kwaliteit op peil te houden. Veel wijn ging naar Rusland, maar een betere kwaliteit werd niet beloond door een betere prijs.

Na het openstellen van de grenzen stroom- den de investeerders uit West-Europa toe. De kwaliteit van de Tokaj is weer sterk toegenomen, maar zoete wijnen zijn op dit moment wereldwijd heel moeilijk te verkopen. Voor de *Wijnalmanak* kwam Tokaj nooit in aanmerking: te duur.

Het moderne Hongarije moet het vooral hebben van droge witte en krachtige rode wijnen. Het maakt daarbij voortdurend een afweging of het moet kiezen voor 'eigen' druiven of internationale rassen. Het lastige van inheemse druiven, zoals de lokale witte szürkebarát, is dat niemand ze kent en dat niet-Hongaren de namen amper uit kunnen spreken. Maar deze druif levert lekkere wijnen op, en we selecteerden er dan ook een voor *Het beste van de Wijnalmanak*. De andere wijn die we kozen, is gemaakt van een Duitse witte druif, müller-thurgau, die in Hongarije veel is aangeplant.

De goede rode wijnen komen vooral uit het zuiden en westen van Hongarije, uit streken die tegen Oostenrijk aan liggen. Hier zijn het meest buitenlandse rassen die het goed doen, zoals de Oostenrijkse blaufränkisch – in Hongarije kékfrankos genoemd – en druiven als cabernet franc

Het wijndorp Jeruzalem in Slovenië

en syrah. Zij spelen de hoofdrol in het zuiden, in het wijngebied Villány, dicht tegen de Kroatische grens aan. Het zijn zonder meer mooie wijnen, maar ze worden verkocht voor prijzen die niet binnen ons budget vallen...

Slovenië

Als wijnland speelde Slovenië nooit een echte hoofdrol in de *Wijnalmanak*. Net als in de andere landen achter het IJzeren Gordijn duurde het lang voor de wijnen weer op 'westers' niveau waren. Slovenië had er zelfs wat meer tijd voor nodig dan buurland Hongarije, als we het westelijkste deel van Slovenië niet meetellen, dat direct tegen de Italiaanse grens aanligt.

De betaalbaarste wijnen van Slovenië komen uit het noordoostelijke deel, tussen Oostenrijk, Hongarije en Kroatië in. Dit koelere gedeelte van Slovenië is vooral goed in de productie van mooie droge witte wijnen, van druiven die je ook in de buurlanden tegenkomt: sauvignon blanc en furmint. Probleem van Slovenië is dat er veel kleine producenten zijn, die moeizaam samenwerken. Dus hangt wat de export betreft alles af van grotere bedrijven, zoals grote coöperaties of particuliere bedrijven die groot genoeg zijn om het verschil uit te maken. Een voorbeeld daarvan is nieuwkomer p & f wineries (met onder andere het merk puklavec & friends), een familiebedrijf annex coöp, waarvan we een droge witte wijn voor dit boek selecteerden.

Bulgarije

Met de wijnen uit Bulgarije is het weer een heel ander verhaal. Bulgarije was het eerste Oostblokland dat zijn intrede deed in de *Wijnalmanak*, begin jaren negentig al. Het land had in een vroeg stadium internationale druivenrassen aangeplant, zoals cabernet sauvignon en merlot, en maakte daarvan wijnen die heel geschikt waren voor de markt in West-Europa.

Bulgarije werd daarom een grote toekomst voorspeld, maar die voorspelling is eigenlijk nooit echt uitgekomen. De wijnen bleven hangen in hun goedkope imago en wisten niet de sprong te maken naar een hogere kwaliteit. Dat wil niet zeggen dat ze geen goede prijs-kwaliteitsverhouding kunnen hebben, maar de selectie van interessante wijnen uit dit land blijft beperkt.

Andere wijnlanden

Natuurlijk blijven er dan altijd nóg landen over die we tekort doen, door er geen wij-

Boerderij in Bulgarije

nen uit te selecteren. Brazilië bijvoorbeeld, of Griekenland; twee landen die de afgelopen jaren steeds meer interessante wijnen wisten te produceren. Ook Uruguay of Mexico kom je in dit boek niet tegen, ondanks hun soms heel aangename wijnen.

India, Thailand en China zijn eveneens wijnproducerende landen. Van China en waarschijnlijk ook India zullen we ongetwijfeld in de toekomst nog (veel) meer horen, maar op dit moment zijn uit deze landen nog geen lekkere wijnen in Nederland op grotere schaal beschikbaar voor een leuke prijs. Misschien in een volgende editie?

Heerlijke dorstlesser dankzij opwekkende zuren

De oprichter van dit domein, Jean Krier (1847-1917), beheerde de hele productieketen zelf. Hij was wijnmaker, handelaar en vatenmaker én leverde persoonlijk de wijnen af. In de jaren twintig verdween het zelf wijn maken uit het bedrijf en verkocht de familie alleen wijn van anderen. Maar in de jaren zestig pakte de familie het wijn maken weer op. Laten we het voortschrijdend inzicht noemen. De druivenstokken in Luxemburg groeien met name in de smalle strook wijngaarden op de westelijke oever van de rivier Mosel. Het blijft jammer dat je Luxemburgse wijnen eigenlijk maar zelden in Nederland tegenkomt. Wijnen uit jaren met voldoende rijpheid zijn namelijk heerlijke dorstlessers. Deze Rivaner van Krier is lichtvoetig, fris en levendig dankzij zijn opwekkende zuren, hét handelsmerk van Luxemburgse wijnen. Verder wat appel, bloemen en een hint van zoet. Perfecte witte wijn voor op het terras.

Caves Krier Frères • Rivaner • Côtes de Remich (Luxemburg)
🍇 rivaner

€ 6 tot € 7   Heisterkamp Wijnkopers

Zacht, rond en romig wit

Het is wel handig wanneer producenten in landen met moeilijke talen hun etiketten in het Engels opstellen. Origineel Bulgaars zou in het geval van Domaine Boyar toch wat afschrikken. Bulgaarse wijn was ooit razend populair in Nederland, maar daar is weinig van overgebleven. Na de val van het communisme heeft de Bulgaarse wijnbouw het moeilijk gehad, door allerhande problemen met eigendomsrechten op het gebied van de wijngaarden. Het moderne Boyar geeft de burger echter weer moed. Het bedrijf bestaat sinds 1991 en de wijnkelder, in 1999 in gebruik genomen, is volledig modern ingericht. Verwacht hier dus geen stoffige kelders, maar moderne roestvrijstalen tanks. Het is te proeven aan deze Chardonnay, die nagenoeg geen geld kost. Heel 'druivig', zacht en rond, romig, met een keurige lengte. Zo'n moderne Bulgaar kan zich prima meten met Chardonnay uit het Pays d'Oc of uit Australië.

Domaine Boyar • Roses Chardonnay • Thracian Valley (Bulgarije)
🍇 chardonnay

€ 3 tot € 4   Coop, CoopCompact, SuperCoop

Een echte Zinfandel: fruitig, krachtig en kruidig

In het hart van wat ooit Gold Rush Country was, ligt Ironstone Vineyards. Zoals bij veel Californische wijnbedrijven is er goed nagedacht over de verkoop aan bezoekers. Het begint al aan de buitenkant. De moderne wijnkelder ziet er van buiten uit als een oude negentiende-eeuwse goudverwerkingsfabriek. Het bedrijf stamt echter van ruim honderd jaar later. Verder zijn er een proefruimte, een deli, een museum, een amfitheater en nog meer zaken om bezoekers mee te lokken. Maar het ging om de wijn. Deze rode is gemaakt van zinfandel, kortweg 'zin', Californiës eigen druif. Hij stamt uit het Kroatische Dalmatië, net als de Zuid-Italiaanse primitivo. Een vroege rijper, die in Californië wonderwel gedijt. Hoe ouder de stokken – ze kunnen makkelijk honderd jaar of ouder worden – des te beter de wijn. Vandaar die vermelding Old Vine. Zinfandel zoals het hoort, heel herkenbaar. Met veel zoete confiture, koffie, tabak en kruidigheid, kracht en fruit.

Ironstone • Old Vine Zinfandel • California (Verenigde Staten)
zinfandel

€ 9 tot € 10   Gall & Gall

Zacht maar fris en ook ná het eten lekker

Als Hongaarse producent heb je steevast te maken met het probleem van de taal (lees: van voor je buitenlandse klanten onuitspreekbare namen). Je kunt dan drie dingen doen: 1) Engelse fantasienamen gebruiken, 2) chardonnay aanplanten, want dat kunnen mensen uitspreken, of 3) hopen op ontwikkelde wijndrinkers die niet bang zijn voor vreemde namen. Dat laatste is waar de familie Laposa op mikt; zelfs de website is alleen beschikbaar in het Hongaars. Bij een druif als szürkebarát kun je het verhaal van de 'grijze monnik' vertellen, de letterlijke vertaling van de naam van de druif, en erbij zeggen dat het om een lokale kloon van pinot gris gaat. De wijn zelf is goed gemaakt, lekker rond en zacht. Aroma's van gele appels, peren en honing, maar met de frisheid van grapefruit. Stijlvolle fles, met een eigentijdse schroefdop. Schenk deze witte wijn eens na het eten, bij harde Hollandse kazen: een verrassende combinatie.

Laposa Birtok • Szürkebarát • Badacsony (Hongarije)
🍇 szürkebarát

€ 9 tot € 10 Wijnkoperij De Gouden Ton

Spannend anders, deze kruidige en minerale wijn

Hongaars schijnt, samen met het Fins, tot de moeilijkst te leren talen te behoren. Daarvan krijg je een idee als je kijkt naar de namen van Hongaarse druiven: hárslevelű, csabagyöngye en kövérszőlő, om er maar een paar te noemen. Bij een bezoek liet een wijnboer vallen dat hij van ellende maar wat chardonnay had aangeplant om zich daarmee internationaal in de kijker te spelen. Onbekend maakt immers onbemind. In het noorden van Hongarije, ten westen van Budapest, ligt de regio Etyek-Buda. Al vanaf de vijftiende eeuw maken ze daar wijn. Tegenwoordig is dat vooral wit, want Hongarije is – anders dan misschien gedacht – in wezen een 'wit' wijnland. Jammer dat er zo weinig van geïmporteerd wordt, want er zitten prachtige wijnen tussen! Zoals deze. Kruidig en druivig, met peper, nootmuskaat en spannende mineralen. De Müller-Thurgau 2011 is breed en rijp met gele pruimen, nectarines en dorstlessende zuren. Spannend anders!

Nyakas Pince • Budai Müller-Thurgau • Etyek-Buda (Hongarije)
🍇 müller-thurgau

€ 7 tot € 8 Miranda Beems WijnImport

Loepzuiver, levendig en heel elegant

Het Sloveense puklavec & friends is een lichtend voorbeeld voor producenten in alle landen van het voormalige Oostblok. Het legt visie, durf en daadkracht aan de dag. Hun wijn is hier in Nederland, zoals dat heet, heel goed 'in de markt gezet'. Met een goede Nederlandstalige website en een uitgebreide flessenactie richting de pers. Die heeft het opgepikt en toen is de bal gaan rollen. Dat is natuurlijk ook de verdienste van de wijnmaker en het resultaat van een concept waar heel goed over nagedacht is, met een goede neus voor wat wijndrinkers in het buitenland zoeken. Gepresenteerd op een gelikte, eigentijdse manier. Wie wil er dan geen *friend* van puklavec worden? We proeven hier een heerlijke combinatie van de Franse sauvignon en de Hongaarse furmint. Een echte Euroblend, open, loepzuiver, levendig en heel elegant. Daarnaast geeft de furmint de sauvignon wat extra vulling mee.

puklavec & friends • Sauvignon Blanc - Furmint • Štajerska (Slovenië)
🍇 sauvignon blanc, furmint

€ 5 tot € 6 Jumbo

Wijn is altijd in beweging. En nieuwsgierige wijndrinkers zijn dat ook. Ze gaan altijd weer op zoek naar iets nieuws en iets lekkers en gelukkig valt dat meestal wel te vinden. Nieuwe technieken zorgen voor meer kwaliteit, onbekende druivenrassen doen hun intrede, oude rassen worden herontdekt, wijnbouw duikt op onverwachte plekken op (Engeland!) en een nieuwe generatie wijnmakers zorgt voor een verfrissende kijk op soms vastgeroeste tradities.

Trends en ontwikkelingen in wijnland

We willen lekker, licht en duurzaam

Misschien wel de belangrijkste ontwikkeling in de wijnwereld van de afgelopen decennia is de technische vooruitgang. Nieuwe wetenschappelijke inzichten, verbeteringen in de wijngaarden en betere technieken bij het wijn maken zorgen voor betere wijnen en dat vooral ook in het betaalbare segment. Het klinkt heel prozaïsch, maar zeker in de nieuwe wijnlanden op het zuidelijk halfrond is de introductie van roestvrijstalen gistingstanks waarvan de temperatuur gereguleerd kan worden (waardoor de gistende wijn koel blijft en dus fris en fruitig) een revolutionaire verandering geweest.

Bredere horizon

Een andere grote trend van de afgelopen jaren is dat wijnliefhebbers hun wijn overal ter wereld zoeken. In eerste instantie houden ze daarbij vast aan een bekende grootheid als de druif. Chardonnay kent iedereen uit de Bourgogne, dus die koop je dan ook graag uit Chili of Argentinië. Wijn van sauvignon blanc uit Sancerre spreekt ons aan, dus waarom niet eens een Sauvignon Blanc geprobeerd uit Nieuw-Zeeland? Maar toen de Nederlandse wijndrinker deze landen beter ging leren kennen, kwam er ook nieuwsgierigheid naar wijn van andere druiven, zoals pinotage uit Zuid-Afrika, carmenère uit Chili of malbec uit Argentinië.

En ook in de klassieke wijnlanden ontstond een zoektocht naar 'nieuwe' druivenrassen om wijn van te maken. Nero d'avola bijvoorbeeld, in Italië. Of verdejo, in Spanje, uit het tegenwoordig zeer populaire wijngebied Rueda. Of, nog een stapje verder in Spanje, albariño uit Rías Baixas en godello uit Bierzo en Monterrei. Een ontwikkeling die voorlopig door zal zetten. Niet dat we Chardonnay of Merlot helemaal links zullen laten liggen, maar andere wijnen en andere druiven blijven de liefhebber fascineren en de nieuwsgierigheid prikkelen.

Reizende druiven

De zoektocht naar nieuwigheden leidt ons ook naar wijnen van op zich bekende druiven die we – anders dan chardonnay, sauvignon blanc, merlot en cabernet sauvignon – sterk met een beperkt aantal (Europese) landen associëren, en die nu elders opduiken. Riesling bijvoorbeeld levert vooral in Nieuw-Zeeland, maar ook in Chili verrassende resultaten op. Pinot

Galicië, Spanje

noir is in beide landen sterk in opkomst, dankzij koelere wijngaarden dicht bij het frisse water van de oceaan. Alle jonge wijnlanden werken aan de aanplant van nieuwe, andere druiven, waarbij veel aandacht wordt besteed aan de meest geschikte plek om ze neer te zetten. Voorheen was dat voorbehouden aan landen als Frankrijk, Italië en Duitsland.

Betaalbare Bordeaux

Streken als de Bordeaux en de Rhône zullen altijd wel geliefd blijven bij veel Nederlandse wijndrinkers, maar zeker Bordeaux ondervindt hinder van het dure imago van zijn topwijnen. Tegenwoordig zijn die zeer gevraagd op de Chinese markt. Dat ze daar met ijsblokjes of cola worden gedronken, kan de Bordelais verder weinig schelen. Maar er zijn in China natuurlijk ook echte liefhebbers, die hebben ontdekt dat in de Bordeaux prachtige wijnen worden gemaakt.

In ons land ligt een andere ontdekking meer voor de hand, namelijk het feit dat 'gewone' rode Bordeaux een geweldige prijs-plezierprestatie levert. Die wijnen – een mix van de klassieke druiven merlot

Riesling

Merlot

Toscane, Italië

en cabernet sauvignon – hebben immers een frisheid en elegantie die moderne wijnen uit de nieuwe wijnlanden niet altijd hebben. Ook witte Bordeaux kan trouwens heel aantrekkelijk zijn, zowel qua smaak als qua prijs.

Wijnmode

Dat meer van hetzelfde de consument gaat vervelen, heeft een land als Australië ondervonden. De wijnen uit dit voortvarende wijncontinent waren een tijdje geleden immens populair. Met name de rode wijnen, met hun machtige karakter en zoete fruit, waren zeer in trek. Maar

wijn is net als alle andere verschijnselen onderhevig aan mode. De consument kreeg genoeg van deze krachtpatsers en verlangt nu weer naar wijnen met wat minder alcohol en meer frisheid en elegantie. In trendy wijntaal: verteerbare wijnen, waar je gemakkelijk nóg een glas van drinkt. Grote wijnproducenten als Australië doen er op dit moment alles aan zich zo snel mogelijk aan de nieuwe wensen van de wijndrinker aan te passen.

Engelse bubbels

Echt, de moderne wijndrinker is verwend. Er is niet alleen veel keus uit onverwachte, soms bijna bizarre druivenrassen, ook het aantal wijnlanden groeit. Oostenrijk behoort inmiddels tot de gevestigde namen bij de wijnliefhebber, en nu richten we onze blik alweer verder naar het oosten en zuiden. Wijnen uit Hongarije, Slovenië en wellicht ook Kroatië verschijnen langzaamaan op tafel. Griekenland wordt niet alleen maar geholpen uit solidariteit met de verarmde Grieken, maar ook omdat er tegenwoordig interessante wijnen worden gemaakt.

Portugal is en blijft bijzonder met zijn talloze inheemse druiven, die de wijnmakers daar door de jaren heen nooit los hebben willen laten. Het probleem van de Portugezen is echter dat ze een bescheiden karakter hebben en hun eigen wijnen niet zo goed kunnen verkopen. Maar ooit zullen die wijnen met hun eigenzinnige karakter breed in de mode komen, dat kan niet anders.

Ook opvallend: mousserende wijnen uit Engeland. Heel voorzichtig komen die bij ons op de markt. Het klinkt misschien als een onmogelijkheid, maar het zuiden van Engeland ligt op dezelfde krijtbodem als de Champagne en heeft een klimaat dat aardig vergelijkbaar is met dat van de beroemde Franse streek, zeker met de

huidige opwarming. Niet dat ze zich in de Champagne nu direct zorgen moeten gaan maken, maar het karakter van die Engelse bubbels kan verdraaid dicht in de buurt van champagne komen.

Op zoek naar licht

Bij onze zoektocht naar nieuwe wijnen letten we ook meer en meer op het alcoholgehalte van de wijnen. Althans, dat zeggen we met z'n allen. Want hier is wel sprake van een zekere paradox. Het alcoholgehalte bleef de afgelopen decennia stijgen. Niet alleen bij wijnen uit de Nieuwe Wereld, waar de warmte vaak voor meer suikers in de druif zorgt en daarmee voor meer alcohol in de wijn, maar ook in Europa, waar het immers ook iets warmer geworden is én waar wijnproducenten streefden naar wat vollere, zoetere wijnen, om de consument te behagen. En dat zoete, dat de alcohol met zich meebrengt, daar zit het 'm in. We houden allemaal van droog, maar té droog is ook weer niet de bedoeling.

Toch is de trend naar lichtere wijnen met levendige zuren onmiskenbaar aanwezig. Elegante Rieslings bijvoorbeeld, uit Duitsland, doen het steeds beter. Pinot noir is ook een goed voorbeeld. Wijnen van deze druif, met hun elegante, soms bijna ongrijpbare karakter, doen het tegenwoordig bijzonder goed. Ook wijnen uit de Loire en uit de Spaanse streken Rueda en Rías Baixas passen in deze trend. Hetzelfde geldt voor belletjeswijnen, die steeds meer gedronken worden. Met prosecco, het lichtvoetige en betaalbare alternatief voor champagne, voorop, gevolgd door cava, de Spaanse bubbel.

Sulfiet of niet

Een algemene trend is de bezorgdheid over de gezondheid van de mens en zijn omgeving. Van daaruit rees de vraag: bevat wijn niet te veel sulfiet? Het heeft er in de loop der jaren toe geleid dat veel producenten het sulfietgehalte zoveel mogelijk hebben verlaagd. Nu is het zo dat het met wijn heel erg meevalt. In producten als gedroogd fruit, chips en rood vlees zit (veel) meer sulfiet. En die hoofdpijn de volgende ochtend wordt in 99% van de gevallen veroorzaakt door de alcohol...

Een ander punt is dat sulfiet nodig is om oxidatie van de wijn tegen te gaan; te weinig sulfiet kan ten koste gaan van het fruit in de wijn. Het hangt ook een beetje af van de producent. Er zijn tegenwoordig met name rode wijnen op de markt met zeer weinig sulfiet en dat kan prima, zolang de druiven volkomen gaaf en gezond zijn en de producent hyperhygiënisch

Duurzaamheid is in

Biodynamische wijn wint terrein

werkt. Wel is het zo dat deze wijnen beperkt houdbaar zijn. Sommige producenten vermelden dat, heel verstandig, expliciet op het etiket. Er zijn ook wijnmakers die het voor lief nemen dat de wijn (licht) geoxideerd raakt. Dat zorgt voor wat sterkere zuren en aroma's van appel, en soms ook geuren en smaken die een beetje aan sherry doen denken. Zulke wijnen worden *vin nature* genoemd, natuurwijn. Wijnen, zo mag duidelijk zijn, waar je van moet houden of aan moet wennen.

Wijn met toekomst

Bezorgdheid over onze omgeving heeft biologische wijnen de afgelopen jaren een oppepper gegeven, evenals wijnen van producenten die biologisch-dynamisch werken. Steeds meer wijnproducenten letten bij het maken van hun wijnen op duurzaamheid. Minder brandstofgebruik, beperking van het watergebruik en minder bestrijdingsmiddelen – ook bij degenen die niet biologisch werken – staan hoog op het prioriteitenlijstje. Gebruik van compost (al dan niet zelfgemaakt) voor de bemesting leidt tot een lagere milieubelasting. Door tussen de rijen druivenstokken gras of andere begroeiing te laten staan, wordt op steeds meer plekken erosie van de ondergrond tegengegaan, om ook op termijn duurzame wijnbouw te kunnen blijven bedrijven. Verder werken steeds meer wijnproducenten met eigen zonnepanelen of andere vormen van energieopwekking.

Al die dingen zijn niet alleen goed voor ons geweten, maar ook voor de wijnbouw. Wijn is bij uitstek een product waarbij het gaat om de lange termijn. En we willen in de toekomst ook graag van die enorme verscheidenheid aan goede wijnen kunnen blijven genieten. In restaurants, in wijnbars, maar ook – laatste trend – gewoon thuis, al dan niet met vrienden, bij een mooie maaltijd.

Welke winkel welke wijnen

Agrimarkt
www.agrimarkt.nl

ROOD

AH Wijndomein
ahwijndomein.ah.nl
0800-2352523

WIT

ROOD

ROSÉ

Albert Heijn
www.ah.nl
0800-0305

WIT

ROOD

ROSÉ

André Kerstens
www.partners-in-wijn.nl
sales@partners-in-wijn.nl
070-4278321

ROOD
Tuga, Tinto, Douro 267

Attent
www.attent.nl
communicatie@despar.nl
088-4457771

WIT
Campañero, Chardonnay, Central Valley 91
Deinhard, Pinot Blanc Dry, Pfalz 120

ROOD
Buzet Red Badge, Merlot - Cabernet, Buzet 156
Château Pradeau Mazeau, Bordeaux 161
El Descanso, Reserva Carmenère,
   Colchagua Valley 99
Gato Negro, Cabernet Sauvignon, Central Valley 102
Sensi, Chianti 210

Bas van der Heijden
www.lekkerdoen.nl

WIT
Yellow Tail, Chardonnay, South Eastern Australia.......... 63

ROOD
Buzet Red Badge, Merlot - Cabernet, Buzet 156
Caves Saint-Pierre, Découverte, Ventoux 158
Gato Negro, Cabernet Sauvignon, Central Valley 102
Pampas del Sur, Vineyard's Expressions
   Pinot Noir, Mendoza.. 40
Sensi, Chianti 210

Biowijnclub.nl
www.biowijnclub.nl
info@biowijnclub.nl
030-8775919

WIT
Colle Stefano, Verdicchio di Matelica 199
Heiner Sauer, Gleisweiler Hölle Riesling
   Kabinett trocken, Pfalz.. 121

ROOD
La Cabotte, Colline, Côtes du Rhône 174

Boni
www.bonisupermarkt.nl
033-2473131

ROOD
Buzet Red Badge, Merlot - Cabernet, Buzet 156
Gato Negro, Cabernet Sauvignon, Central Valley 102
Sensi, Chianti 210

Boomsma
www.boomsma.eu
h.moes@boomsma.net
058-2135135

ROOD
Les Terrasses, Ardèche Rouge, Coteaux
   de l'Ardèche 175

C1000
www.c1000.nl

WIT
St. Michael, Pinot Blanc, Mosel 125

ROOD
Alpaca, Carmenère, Central Valley 90
Esprit du Rhône, Réserve, Côtes du Rhône 172
Zonin, Superiore Ripasso, Valpolicella 211

Coop
www.coop.nl

WIT
Deinhard, Pinot Blanc Dry, Pfalz 120
Domaine Boyar, Roses Chardonnay,
   Thracian Valley (Bulgarije)....................................... 343
Villa Maria, Sauvignon Blanc Private Bin,

Marlborough 229

CoopCompact
www.coop.nl

Dagwinkel
www.dagwinkel.nl

De Natuurwinkel/Natudis
www.denatuurwinkel.nl
info@natuurwinkel.nl
0341-565150

Dekamarkt
www.dekamarkt.nl
0251-276666

DGS
www.dgswijn.nl
info@dgswijn.nl
0180-635135

Digros
www.lekkerdoen.nl

Dirck III
www.dirckIII.nl
inkoop@dirckIII.nl
0172-245100

Henri Bloem
www.henribloem.nl

Hoogvliet
www.hoogvliet.com

Horizon Wines
www.horizonwines.com
info@horizonwines.com
036-5400708

Intercaves
www.intercaves.nl
info@intercaves.nl
0341-411590

Jan Linders
www.janlinders.nl
hallo@janlinders.nl
0800-5265463

Jean Arnaud
www.jeanarnaud.com
retail@jeanarnaud.com
013-5841200

Jumbo
www.jumbosupermarkten.nl
0413-380200

puklavec & friends, Sauvignon Blanc - Furmint,
Štajerska (Slovenië) 347
St. Michael, Pinot Blanc, Mosel 125
Villa Maria, Sauvignon Blanc Private Bin,
Marlborough 229

ROOD
Alpaca, Carmenère, Central Valley 90
Castillo de Ainzón, Tinto, Campo de Borja 291
Château Tanunda, Grand Barossa Shiraz,
Barossa Valley 56
Château Tour Prignac, Cru Bourgeois, Médoc 163
Eagle Crest, Shiraz - Malbec, Swartland 327
Giesen, Estate Pinot Noir, Marlborough 226
Zonin, Superiore Ripasso, Valpolicella 211

Kwast Wijnkopers
www.kwastwijnkopers.nl
info@kwastwijnkopers.nl
0252-686741

WIT
Quinta da Espiga, Branco, Vinho Regional Lisboa 265
Simonsig, Chenin Blanc, Stellenbosch 329

ROOD
Barón de Ley, Club Privado, Rioja............................... 287
Viu Manent, Estate Collection Carmenère,
Colchagua Valley 107

LekkerSapje
www.lekkersapje.nl
lekker@lekkersapje.nl

WIT
Weingut Storr, Silvaner Classic, Rheinhessen............. 127

Léon Colaris
www.colaris.nl
info@colaris.nl
0495-532462

WIT
Château Thieuley, Sec, Bordeaux 162
Josef Ehmoser, Von den Terrassen Grüner

Veltliner, Wagram.. 244

Les Généreux
www.lesgenereux.nl
info@lesgenereux.nl
0575-543667

WIT
Castelo de Medina, Verdejo, Rueda........................... 290
Di Lenardo Vineyards, TOH!, Friuli Grave.................. 200
Ficada, Vinho Regional Península de Setúbal 261
Finca Os Cobatos, Godello, Monterrei 293

ROOD
Cantine Due Palme, Domiziano, Salento 198
Chakana, Syrah, Mendoza... 37
Château Cap Saint-Martin, Tradition, Blaye
Côtes de Bordeaux 159
Domaine Alary, La Gerbaude, Côtes du Rhône 165

ROSÉ
Domaine Saint-Ferréol, Coteaux Varois
en Provence.. 171
Madregale, Rosato, Terre di Chieti.............................. 208

LFE
www.groupelfe.com
info@groupelfe.com
0346-213044

WIT
Casa Silva, Silva Family Wines Chardonnay -
Semillon, Colchagua Valley 94
Domaine du Tariquet, Classic, Côtes de Gascogne..... 169
Johann Müllner, Spiegel Grüner Veltliner, Kremstal 243

MCD
www.mcd-supermarkt.nl
fmboon@boon-groep.nl
0184-418500

WIT
El Descanso, Sauvignon Blanc, Central Valley 100

ROOD
Buzet Red Badge, Merlot - Cabernet, Buzet.............. 156

Château Pradeau Mazeau, Bordeaux 161
El Descanso, Reserva Carmenère, Colchagua Valley.... 99
Sensi, Chianti 210

Miranda Beems WijnImport
www.mirandabeems.com
info@mirandabeems.com
0294-267307

WIT

Nyakas Pince, Budai Müller-Thurgau,
    Etyek-Buda (Hongarije) 346

Mitra
www.mitra.nl
consumenten-info@mitra.nl
0313-483500

WIT

Bellingham, Chenin Blanc - Viognier, Coastal Region 324
Vidal Estate, White Series Chardonnay, Hawke's Bay 228

ROOD

Bellingham, Cabernet Sauvignon Ancient Earth,
    Coastal Region 323
Cono Sur, Bicicleta Cabernet Sauvignon,
    Central Valley... 96
Cono Sur, Reserva Pinot Noir, Casablanca Valley 97
McPherson, Shiraz, South Eastern Australia................ 58
Winzer Krems, Blauer Zweigelt, Niederösterreich....... 247

Nettorama
www.nettorama.nl
info@nettorama.nl
0162-455950

ROOD

Sensi, Chianti 210

Oud Reuchlin & Boelen
www.weetvanwijn.nl
info@weetvanwijn.nl
079-3634800

ROOD

Torres, Sangre de Toro, Catalunya............................ 299

ROSÉ

Torres, De Casta Rosado, Catalunya 298

Pallas Wines
www.pallaswines.nl
info@pallaswines.nl
0180-635128

ROOD

Al Muvedre, Tinto Joven, Alicante.............................. 286

Plus
www.wijnenvanplus.nl

WIT

Campañero, Chardonnay, Central Valley....................... 91
Danie de Wet, Sauvignon Blanc, Robertson............... 325
El Descanso, Sauvignon Blanc, Central Valley 100
Mosaico, Classico, Verdicchio dei Castelli di Jesi....... 209
Villa Maria, Sauvignon Blanc Private Bin,
    Marlborough 229
Yellow Tail, Chardonnay, South Eastern Australia.......... 63

ROOD

Borges, Lello, Douro.. 260
Bush Creek, Petite Sirah, South Eastern Australia........ 55
Château Pradeau Mazeau, Bordeaux 161
El Descanso, Reserva Carmenère, Colchagua Valley....... 99
Plus Huiswijn, Biologisch, La Mancha 297

ROSÉ

Marqués de Cáceres, Rioja 294

Poiesz
www.poiesz-supermarkten.nl
klantenservice@poiesz-supermarkten.nl
0515-428800

WIT

El Descanso, Sauvignon Blanc, Central Valley 100

ROOD

Château Pradeau Mazeau, Bordeaux 161
Gato Negro, Cabernet Sauvignon, Central Valley........ 102
Sensi, Chianti 210

Poot Agenturen
www.pootagenturen.nl
info@poot.nl
0174-512561

ROSÉ
Delheim, Pinotage Rosé, Stellenbosch 326

Portugal Wijn Import
www.portugalwijnimport.nl
info@portugalwijnimport.nl

ROOD
Adega das Mouras, Talha Real, Vinho
   Regional Alentejano 258

Qualyvines
www.qualyvines.nl
info@qualyvines.nl
0523-611072

WIT
Cuatro Rayas, Viñedos Centenarios Verdejo, Rueda ... 292

Spar
www.spar.nl
communicatie@despar.nl
088-4457771

WIT
Campañero, Chardonnay, Central Valley...................... 91
Deinhard, Pinot Blanc Dry, Pfalz................................. 120

ROOD
Buzet Red Badge, Merlot - Cabernet, Buzet............... 156
Château Pradeau Mazeau, Bordeaux 161
El Descanso, Reserva Carmenère, Colchagua
   Valley.. 99
Gato Negro, Cabernet Sauvignon, Central Valley........ 102
Sensi, Chianti 210

SuperCoop
www.supercoop.nl

WIT
Deinhard, Pinot Blanc Dry, Pfalz................................. 120
Domaine Boyar, Roses Chardonnay, Thracian
   Valley (Bulgarije) 343
Villa Maria, Sauvignon Blanc Private Bin,
   Marlborough... 229

ROOD
Buzet Red Badge, Merlot - Cabernet, Buzet............... 156
Gato Negro, Cabernet Sauvignon, Central Valley........ 102
Sensi, Chianti 210

Troefmarkt
www.troefmarkt.nl

WIT
Bellingham, Chenin Blanc - Viognier, Coastal Region 324

Uw Topslijter
www.uwtopslijter.nl

WIT
Bellingham, Chenin Blanc - Viognier, Coastal Region 324

ROOD
Bellingham, Cabernet Sauvignon Ancient Earth,
   Coastal Region 323
Callia, Magna Shiraz, San Juan................................... 35

Van de Wijnen
www.vandewijnen.nl
info@vandewijnen.nl
026-3392726

WIT
Colle Stefano, Verdicchio di Matelica 199

Vindict
www.vindict.nl
mail@vindict.nl
020-4706050

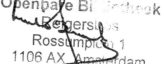

Wijnalmanak Magazines

Mocht je na het lezen van dit boek nog niet
zijn uitgelezen over wijn, download dan het
Wijnalmanak Magazine op je iPad.

Het Wijnalmanak Magazine gaat door waar het
papieren boek ophoudt. Naast extra wijnadviezen
lees je in de verschillende nummers alles over het
kopen, kiezen en drinken van wijn. Ook krijg je
recepten bij de diverse heerlijke wijnen. En via de
Wijnalmanak Web Academy leer je via
interactieve filmpjes alles over etiketten en het
proeven en bewaren van wijn.

Ga naar de App Store en download
Wijnalmanak Magazine.